CÓMO DEFENDERSE DE LOS ATAQUES VERBALES

Barbara Berckhan

CÓMO DEFENDERSE DE LOS ATAQUES VERBALES

CURSO PRÁCTICO
PARA QUE NO TE QUEDES
SIN PALABRAS

RBA nuevaempresa

Título original: *Die etwas intelligentere Art, sich gegen dumme Sprüche zu wehren*
Autora: Barbara Berckhan
Traducción: Barbara Zöller
Diseño de cubierta: Opalworks

Pérez Galdós, 36 – 08012 Barcelona
www.rbalibros.com / rba-libros@rba.es

Ref. OADP037
ISBN: 978-84-7871-923-5
Depósito legal: B.7.013-2007
Impreso por Novagràfik (Barcelona)

Índice

Una forma inteligente de contestar

Todos conocemos situaciones como éstas: un dependiente de los grandes almacenes contesta con displicencia a nuestra inofensiva pregunta; la enfermera auxiliar se muestra insolente ante nuestra necesidad de adelantar la visita médica; tío Alberto no para de importunarnos durante la celebración familiar; el compañero de trabajo nos provoca con sus bromas pesadas... Estamos constantemente expuestos a ataques verbales, a la crítica destructiva, a burlas, a bromas pesadas... Por supuesto, podemos contraatacar, pero el agresor no suele batirse en retirada, sino que acostumbra a responder con mayor violencia todavía. Es natural que nos defendamos ante las agresiones. Ojo por ojo, diente por diente. Obtenemos resultado a diario, en la calle, en debates de televisión, en fiestas familiares... Somos testigos de un intercambio continuo de agresiones desagradables, ruidosas y superfluas. Al final, todos salen perdiendo. Padecen estrés, alteraciones nerviosas, sufren dolorosas heridas psíquicas y abrigan oscuros deseos de venganza («¡Eso es inadmisible!, ¡ay de él si vuelve a venirme con ésas! Le daré su merecido»). Las agresiones verbales aún resultan más penosas para las personas que no son de reacción rápida, que se quedan mudas y perplejas ante comentarios insolentes. No encuentran la respuesta adecuada hasta que ya ha pasado todo, y entonces les corroe la ira y se sienten frustradas al quedarse con la palabra en la boca. El sueño de todo aquel que suele quedarse estupefacto es aprender a saber replicar, a sorprender al agresor con una interpelación ingeniosa.

Mi experiencia como experta en las técnicas de comunicación me ha enseñado que las bromas pesadas, las indirectas malintencionadas suelen dejar profundas heridas que tardan años en cicatrizar. En mis seminarios y prácticas sale a la luz el sufrimiento de las personas afectadas que, además, suelen plantear las mismas preguntas: ¿qué puedo hacer ante un ataque personal de mi interlocutor?, ¿cómo puedo defenderme ante una crítica injustificada de mi jefe?, ¿qué le contesto a un cliente que me ofende por teléfono?, ¿cómo puedo defenderme ante las continuas provocaciones de mi compañera de trabajo?, ¿les pago con la misma moneda?, ¿me callo?, ¿existen otras alternativas?

Sí, existen alternativas. Puedes tener la respuesta en tus manos. A lo largo de los años he desarrollado una técnica de autodefensa oral, una especie de judo verbal, de aikido retórico para todos aquellos que deseen dar réplica de forma inteligente. Como primer paso me dediqué a estudiar las técnicas básicas de las artes marciales y el aikido me llamó especialmente la atención. Esta técnica de autodefensa tiene como único objetivo hacer frente al ataque y volver a restablecer la paz. André Protin escribe en su libro *Aikido*: «El aikido no contempla el ataque. La base de este arte marcial es tan defensiva, tan poco combativa, que no enseña estrategias ofensivas... el aikido sustituye fuerza por sensibilidad, brutalidad por elegancia».

Decidí adoptar este criterio para la autodefensa oral. Fue así como surgió, a lo largo de los años, un buen número de llaves y asaltos orales con los que defenderse, sin que ninguno de ellos fuera ofensivo ni humillante. A pesar de que haya algunas réplicas muy duras he preferido prescindir de los golpes bajos. En primer lugar, porque el mundo está lleno de ellos y, en segundo lugar, porque quisiera insistir en una técnica de autodefensa inteligente, basada en la siguiente premisa: hacer frente al ataque y proponer al agresor una conversación sensata.

¿Pero qué podemos hacer si el agresor no responde ante nuestra táctica y continúa atacando? Las réplicas propuestas en este libro son adaptables a situaciones diversas e intercambiables entre ellas. En caso de que una observación breve no sea suficiente para repeler el ataque, podemos disparar con un refrán confuso, seguido de un cumplido y todavía nos quedan al menos cuatro posibilidades para defendernos. Dicho de otra forma: el gran número de réplicas propuestas en este libro te proporcionará la posibilidad de poder defenderte durante horas.

Los participantes en los entrenos para el desarrollo de las habilidades de negociación y para el fomento de la autoestima han puesto en práctica todas las estrategias propuestas. Además, las han corregido y mejorado, con lo que disponemos de réplicas que se adaptan a las más diversas situaciones.

El libro se estructura en cinco grandes apartados. Comienza con la postura básica de la autodefensa, el saber imponerse, y sigue con la capacidad de resistir las provocaciones. El tercer apartado ofrece una serie de réplicas formales y curiosas. El cuarto está dedicado al arte de la autodefensa en mayúsculas, es decir, enseña a saber plantar cara a las ofensas y a saber replicar al agresor. Dado que una lectura teórica no es suficiente, el último apartado del libro ofrece la posibilidad de practicar todas las estrategias de autodefensa aprendidas.

El libro es, asimismo, una ayuda para la aplicación de las estrategias de autodefensa en la vida cotidiana. Por ello hemos marcado las réplicas con un dibujo de un practicante de artes marciales en movimiento. Los ejemplos prácticos citados en el libro sirven para saber emplear las réplicas adecuadas en el momento oportuno de la conversación. Los diálogos vienen señalados con dos caras que se miran de frente.

Al principio, sin embargo, no nos ocuparemos de las palabras, sino de la energía que irradiamos en nuestras apariciones en público. El carisma, nuestro poder de convicción, serán los protagonistas.

Saber imponerse

Abandonamos el papel de víctima en el momento en que volvemos a ser nosotros mismos. Nos alegramos de la singularidad de nuestras características diferenciales, pero también apreciamos las cualidades que compartimos con el resto de la humanidad. Nuestra vida no se rige exclusivamente por lo que los demás esperan de nosotros, sino por lo que nosotros creemos es importante.

KHALEGHL QUINN

La defensa antichoque

¿Existe alguna posibilidad de que no nos afecten la insolencia y el descaro de terceros? ¿Podemos impedir que los demás nos contagien su mal humor? Casi todos nosotros hemos vivido las siguientes situaciones en la vida cotidiana: un interlocutor agresivo acaba por enfurecernos, el mal humor que reina entre nuestros compañeros se transmite y nos lo contagian, cuando los demás revolotean airadamente a nuestro alrededor también nosotros acabamos poniéndonos nerviosos. En definitiva, nos contagiamos. Los sentimientos de los demás se adueñan de nosotros. Desgraciadamente, las personas propensas a contagiarse del estado de ánimo de los demás también pueden verse implicadas con facilidad en una pelea.

Muchos de los empleados en el sector servicios o ventas son conscientes de la necesidad de tratar al cliente con amabilidad y paciencia. Sin embargo, la teoría del contagio es muchas veces más fuerte. A un vendedor que atiende a una cliente insolente enseguida se le pega el talante de ésta y eso se lo hace pagar a quien viene a continuación. Éste también se contagia y sale de la tienda contrariado y molesto y contagiará, por su parte, a otra persona. El trato desconsiderado entre la gente se propaga como una epidemia de gripe. Esta situación se repite de forma tan frecuente que ya lo consideramos habitual. La persona que se apropia del mal humor de otra suele tener una justificación plausible: «Donde las dan las toman», «Hay que pagar con la misma moneda». Lo que es sinónimo de «no es culpa mía». El culpable siempre es el otro. Si se me trata de forma poco considerada, yo respondo de la misma manera. No obstante, en el fondo, este comportamiento significa que la otra persona puede convertirme en cualquier momento en su calcomanía. Cualquiera es capaz de transmitirme su mal humor, probablemente dando lugar a un problema en el momento en que pretendamos defendernos contra las agresiones externas. Necesitamos de defensas para combatir los estados de ánimo de los demás. Para ello es importante distanciarse, procurar estar por encima de las circunstancias.

Algunos consejos para defenderse de personas maleducadas

La autodefensa comienza siempre con una declaración de independencia: no permito que mi estado de ánimo dependa de los demás. Siempre que nuestro humor y nuestros sentimientos dependen del trato que nos propinan otras personas nos encontramos atrapados como peces en el anzuelo. En el momento en que alguien tira del hilo, empezamos a agitarnos. Hasta que no consigamos mantener la calma y la cabeza fría, no seremos capaces de defendernos eficazmente. La fuerza interior reside en la capacidad de no dejarnos enredar con las rarezas de los demás. No importa cómo las dan, eres tú quien ahora decide cómo las tomas. Para ello es necesario aislarse interiormente. Este acorazamiento interior es el «escudo protector». Tu escudo protector es un airbag personal, una protección antichoque,

que procura no tomarse tan a pecho la actitud de los demás. Para poder protegerse es suficiente con un escudo mental.

Construir el escudo protector:

1. Recuerda una situación en la que mantuviste la calma, a pesar de que la situación era violenta e irritante. Sumérgete de nuevo mentalmente en esa situación. Imprégnate de la sensación de que los disgustos te rebotan como lo hace una pelota de ping-pong.
2. Deja que te invada la sensación de que puedes protegerte mediante una especie de escudo invisible que levantas a tu alrededor.
3. Imagina un escudo a través del cual puedes ver y oír como ocurre con los cristales gruesos de las oficinas bancarias.
4. Elige una frase que te sirva de «música de fondo» para tu escudo protector. Incúlcate algo así como «Eso es cosa de los demás», «Eso no va conmigo» o: «Eso no me atañe».

El escudo protector

Estas instrucciones proceden de mi libro *Die etwas gelassenere Art sich durch zusetzen* (*Una forma más relajada de imponerse*), pág. 216.

Levanta mentalmente este escudo protector invisible a una distancia adecuada. A través de él puedes oír y ver todo lo que pasa a tu alrededor con gran precisión, sin dejar de estar perfectamente protegido. El humor y los estados de ánimo de los demás ya no te afectan. Te encuentras tranquilo y seguro en tu propio espacio emocional y mental. Desde esta posición eres capaz de reaccionar de forma amable, objetiva y calmada. Puede que fuera arrecie una tormenta. A ti, sin embargo, no te afecta.

El escudo protector te puede ayudar a superar conversaciones difíciles. Asimismo te capacita para hablar con personas malintencionadas de forma tranquila y concentrada.

Hablar sin perder el hilo

Para Ricardo, el descubrimiento del escudo protector fue todo un descanso. Como encargado de una empresa de construcción tenía que tratar, prácticamente a diario, con proveedores y delegados de las administraciones. Ricardo era hábil en la negociación, con una excepción: siempre que su interlocutor alzaba una ceja en un gesto crítico o negaba con la cabeza sin pronunciar palabra, perdía el hilo de la conversación. Se trastocaba totalmente. Algunos de sus interlocutores adoptaban, desde un primer momento, una actitud de rechazo. Lo recibían con frialdad, no dejaban de mirar por la ventana, cruzaban los brazos y se mostraban lacónicos. Esta actitud hacía perder a Ricardo la seguridad en sí mismo. Comenzaba a hablar de forma atropellada, se equivocaba y, a la postre, se exasperaba por no haber sido capaz de mantener la calma. Carecía de recursos para defenderse contra las actitudes negativas de sus interlocutores. Se sentía inseguro ante cualquier gesto que demostrara una falta de cortesía o desinterés. Por ello resultaba fácilmente manipulable. Ricardo era consciente de sus debilidades, pero no veía solución a su problema. El escudo protector le ayudó a evaluar las reacciones de su interlocutor a distancia. Previo a cualquier negociación erigía un escudo mental, que amortiguaba el estado de ánimo del contrario. Ya no importaba que el interlocutor moviera la cabeza, la ceja, la comisura de los labios, los brazos o las piernas, Ricardo se mantenía firme en su argumentación. Se daba cuenta del comportamiento de su interlocutor, pero no le producía una sensación de inseguridad. Era capaz de hablar sin perder el hilo.

Negociar tenaz y relajadamente

Todos los profesionales cuya labor implica tratar con personas poco corteses necesitan una defensa antichoque. En los empleos en los que los insultos, las ofensas y los clientes irascibles forman parte de la rutina, es necesario contar con un buen blindaje. Todo aquel que se muestre a pecho descubierto no aguantará la presión por mucho tiempo. Se ha demostrado que las personas que ejercen este tipo de profesiones durante un período prolongado desarrollan un airbag personal.

También los individuos creativos y entusiastas necesitan de una buena protección para poder sobrevivir en este mundo duro y competitivo.

Me acuerdo de un grupo de jóvenes artistas (pintores, escultores y profesionales de las artes gráficas) que necesitaban el escudo protector para poder vender mejor sus obras. Entrené a estos artistas en la negociación. Todos estaban estrechamente ligados a su obra, por lo que les resultaba muy difícil tratar el aspecto económico. El intento de regatear el precio por parte del supuesto comprador era considerado como una ofensa personal. En los casos en que el interlocutor mostraba signos de desaprobación o escepticismo hacia la obra, los artistas se sentían profundamente heridos. Algunos se soliviantaban a la más mínima crítica relacionada con su trabajo, por lo que rompían la negociación y se negaban a seguir tratando con los que ellos calificaban de «analfabetos» y «burócratas». Ganar dinero resultaba muy trabajoso para la mayoría de estos creativos, que carecía de un buen airbag. Pero como la imaginación es algo que les sobra a los artistas, no tardaron en desarrollar fantasiosos escudos protectores. Sin embargo, mi atención se centraba en una sola cuestión: ¿eran eficaces los respectivos escudos protectores? Los sometí a una prueba definitiva. En un juego de rol interpreté a una agente durísima, que no entendía de arte, pero sí de finanzas. ¿Sería el artista capaz de dominar la negociación a pesar de la dura crítica lanzada contra su obra? Regateé sin compasión. ¿Podría el artista mantener la calma y oponer resistencia? ¿Sabría luchar sin aspavientos por el valor de su obra, a pesar de mi comportamiento impetuoso y estrepitoso? Toqué todas las teclas. Estuvimos entrenando el tiempo necesario para que, finalmente, todos dispusieran de un escudo protector capaz de repeler cualquier maniobra o manipulación. Los participantes acabaron asombrados de lo fácil que es negociar tenaz y relajadamente, siempre y cuando se vaya bien armado contra las adversidades.

Poner a prueba el escudo protector

Puedes poner a prueba tu escudo protector. Imagina situaciones cotidianas que no revisten problemática alguna, como, por ejemplo, comprar pan, ir a la peluquería o poner gasolina. Erige tu escudo protector antes de entrar en la tienda y sosténlo hasta la salida. No debería de resultar muy fatigoso, porque, en el caso contrario, tu escudo protector es demasiado complicado. Mucha gente comete el error de proveerse de un escudo agresivo, que consume todas sus energías. La defensa antichoque no es un arma agresiva contra el entorno, sino que es un blindaje seguro, parecido a un cristal antibalas. Detrás de él incluso puedes recibir las burlas con amabilidad. Ensaya hasta que tu escudo protector funcione a la perfección.

Es importante saber levantar y retirar el escudo con facilidad, como si abrieras y cerraras una puerta. No siempre es bueno mantener la puerta cerrada. A veces se necesita el roce humano, entregarse a un estado de ánimo y a sentimientos determinados sin que haya un escudo de por medio. Cuando nos mostremos abiertos y sensibles, aprenderemos a disfrutar.

Si el saber defenderse en la vida cotidiana tiene una especial importancia para ti, te recomiendo el capítulo «No tomarlo como un ataque personal», a partir de la página 000. Este capítulo es un complemento al escudo protector, porque enseña a atajar un ataque y a neutralizar formalmente al contrario. En el próximo capítulo nos ocuparemos de las pautas de conducta, del carisma. La forma en que nos comportamos puede convencer al prójimo de nuestra invulnerabilidad.

Mostrar seguridad

Si te rebajas, invitarás a los demás a que te pisen. Si aparentas ser una ovejita, atraerás a los lobos feroces. Los agresores prefieren enfrentarse a personas que ignoran el poder que poseen. La gente agresiva no suele buscar pelea, sino que quiere vencer sin implicarse personalmente. Para ello buscan una víctima fácil. Los agresores experimentados detectan enseguida a la víctima adecuada, que les asegurará la victoria. El agresor reacciona de forma inconsciente a ciertas señales emitidas por la víctima. A estas señales las denomino «vacío de poder», una expresión acuñada por Khaleghl Quinn, una profesora británica de autodefensa personal. Aprecio mucho su libro *Art of Self-Defence (El arte de la autodefensa)*, en el que subraya la importancia de la seguridad en uno mismo para prevenir un ataque físico. Quien camina de forma encorvada, encogida y doblegada, delata su propensión a ser víctima. El posible agresor sabe que estas personas le ofrecerán poca resistencia. El vacío de poder atrae a los agresores, por lo que vale la pena estar muy atentos a la emisión de dichas señales.

Los signos de la impotencia

Analicemos más de cerca el llamado vacío de poder. Las personas que lo padecen

- Parecen cohibidas.
- Adoptan una postura ligeramente inclinada, tanto si están de pie como sentadas. y la caja torácica suele estar algo hundida.
- Tienden a encoger los hombros.
- No buscan el contacto visual.

Una postura inclinada hacia delante: el lenguaje corporal delata el vacío de poder.

- Sonríen muy a menudo con la intención de aplacar al interlocutor.
- Ocupan poco espacio, sus brazos y piernas se mantienen pegadas al cuerpo.

La falta de autoridad provoca en estas personas una adaptación excesiva, que relega a un segundo término la defensa de sus derechos. Las personas que padecen el vacío de poder

- No saben marcar los límites ni parar los pies a los demás.
- Eluden los conflictos.
- Se sienten identificadas con los demás y abandonan fácilmente sus propias metas.
- Se encuentran atrapadas en el papel de la persona amable, cariñosa y simpática.

- Tienen remordimientos de conciencia si, en alguna ocasión, logran imponerse y se niegan a acatar alguna orden.
- Les cuesta romper la relación con personas poco consideradas y violentas.

Las personas que padecen un vacío de poder suelen disculparse con demasiada frecuencia, por ejemplo: «Perdone que insista», «Lo siento, pero no lo quiero comprar», «Dispense, pero yo no opino lo mismo».

Además suelen rebajarse y no valorarse a sí mismos. Estas frases son representativas: «Probablemente le aburra, pero quedan todavía algunos puntos por aclarar», «No entiendo nada de este tema, pero quisiera...», «Sólo soy un insignificante empleado», «Solamente soy ama de casa».

Los puntos de vista propios son amortiguados con expresiones como «quizás», «en realidad», «de alguna forma», «eventualmente». «En realidad, me gustaría hablar con usted ahora.» «Pienso que quizás se podría arreglar el asunto eventualmente de otra forma.» «Puede que esté equivocado, pero ¿no habíamos tomado, de alguna forma, otra decisión?»

El precio por ganarse la estima

¿Cómo se origina la falta de autoridad? No es una característica de nacimiento, sino que se debe a la educación recibida. En algún momento de sus vidas, seguramente en la temprana infancia, estas personas se han visto despojadas, lenta pero ineludiblemente, de su autoridad. Los niños obedientes lo tenían más fácil, los rebeldes recibían su castigo. La educación convirtió al niño en un muchacho atento o en una jovencita comedida, un sol para los adultos, fácil de manejar. Para obtener un resultado satisfactorio fue necesario limar el carácter obstinado del niño. El «yo lo quiero así» se convirtió en «como queráis vosotros». Era el precio por ser amado. Más tarde, los niños obedientes y amables de antaño se hicieron seres adultos adaptados, que renunciaron a una parte de su autoridad.

Librarse del papel de víctima significa hacer uso de toda nuestra autoridad, lo que nos ayudará a no emitir la señal equivocada ante un posible agresor. No hace falta presumir demasiado ni pavonearse. Basta con que nuestra autoridad nos envuelva como un aura.

Una decidida disposición a defenderse disuade al agresor

El ejemplo de Kerstin, una participante en las prácticas de autoafirmación, nos puede servir para demostrar hasta qué punto nuestro comportamiento influye inconscientemente en el agresor. Kerstin trabajaba en un taller de artesanía. Todas las mañanas tenía que soportar los comentarios mordaces de uno de sus compañeros. Solía reaccionar con indignación y consternación, lo que parecía animar todavía más a su compañero, cuyos comentarios se volvieron cada vez más crueles. Cuando conocí a Kerstin, la encontré atrapada en el papel de mujer cordial. Siempre se mostraba amable, cautelosa y solícita. No sabía comportarse de forma brusca, desagradable o agresiva, ni siquiera en los momentos que lo requerían. Le faltaba el contrapunto a la mujer amable. Parecía como si estuviera coja. Sólo utilizaba la pierna simpática y amable. La otra, la autoritaria y agresiva, estaba atrofiada. Cuando se trataba de parar los pies a alguien, Kerstin se quedaba paralizada, con lo que se convirtió en la perfecta ovejita para los lobos feroces. Éstos presentían su cojera y sabían que jamás ofrecería resistencia. Fue así como Kerstin se encontró, una y otra vez, en situaciones en las que se sentía despreciada, agredida y mal tratada. El seminario le enseñó a andar con las dos piernas: con la amable y simpática, pero también con la autoritaria y agresiva. Para llegar a poder enfrentarse a las burlas tuvo que emplear toda su autoridad. Cansada de su papel de eterna víctima, aprendió de forma relativamente rápida a imponerse. Estaba decidida a pisar fuerte en la vida. Durante el seminario preparó a fondo su siguiente encuentro con el compañero de trabajo. En sabia previsión, se apuntó las posibles réplicas a los comentarios vejatorios y guardó la «chuleta» en el bolso. «En caso de que no se me ocurra nada, saco el papel y elijo la mejor respuesta», comentó decidida. Estaba exultante porque volvía a tener seguridad en sí misma, porque confiaba en su facultad de poder defenderse y porque esperaba con ansia el momento de dar la respuesta adecuada. Dispuesta, se presentó en el lugar del trabajo. Saludó a su compañero y esperó el comentario impertinente. Pero, cuál fue su sorpresa al ver que el compañero permanecía mudo. «Únicamente me dijo buenos días», comentó más tarde Kerstin. «¿Qué debe de estar pasando? Ahora que sé cómo replicarle, no suelta ni un solo comentario. Me hubiera gustado entrenarme.» Pasaron las semanas sin que el compañero le dirigiera burla alguna. Kerstin había encontrado la tranquilidad. La confianza en sí misma había dado un vuelco a la situación sin que hiciera falta pronunciar una sola palabra. El compañero había detectado que Kerstin ya no era una ovejita desamparada e indignada. Percibió su lado decidido y resuelto y desistió porque se arriesgaba a verse involucrado en una situación incómoda.

El ejemplo de Kerstin es válido para muchos de los participantes en mis seminarios, donde aprenden a exteriorizar su capacidad de defensa. Muchos se entusiasman con la idea de poner en práctica lo aprendido. Sin embargo, a la mayoría le ocurre lo mismo que a Kerstin. La decidida disposición a defenderse disuade al agresor.

Algunos pensamientos obstructores

Antes de intentar imponerte con más autoridad, fíjate en el factor que te coarta. Escucha tu voz interior, sobre todo si quieres autoafirmarte o imponerte. ¿Qué ideas te vienen a la cabeza? ¿Te rebajas tú mismo? ¿Piensas lo siguiente?:

- No puedo luchar contra esto.
- Se reirán de mí.
- Seguro que le pongo nervioso.
- Mi parloteo aburre a todos.
- Seguramente estoy molestando.
- No tengo derecho a quejarme.
- Mis lamentaciones eran lo último que esperaban.
- Haré el ridículo.
- No debo ser tan susceptible.
- Solamente soy ama de casa. Solamente una mujer. Soy demasiado viejo/a... demasiado joven. Solamente un auxiliar administrativo. Solamente...

Si conoces las causas que te llevan a situaciones de impotencia, tienes mucho ganado. Si eres consciente de los motivos que te hacen perder la autoridad, puedes combatirlos. La clave para poder cambiar es tener conciencia de nuestras debilidades. Concédete el ser dominante y fuerte.

Saber imponerse

Saber imponerse es cuestión de práctica. No es tan difícil como parece. Sigue estos consejos:

- No te encojas: mantén la espalda recta y estirada, los hombros bajos y anchos.
- Busca el contacto visual, sobre todo en situaciones incómodas o desagradables.
- Sé amable sin ser sumiso. No sonrías dócilmente ni pongas cara de querer conquistar el cariño de los demás.
- No te rías cuando otras personas te pongan en ridículo o se rían de ti. Lo que socava tu dignidad te desautoriza.
- No te insultes («qué idiota soy»). No coquetees con tus debilidades y fallos para hacerte el simpático.
- Di claramente lo que quieres y lo que no quieres. Habla con frases cortas y sencillas, sin muchas florituras ni justificaciones.
- No supliques para que te comprendan. Tienes todo el derecho a solicitar algo o a negarte, aunque el interlocutor no muestre la más mínima comprensión. Manténte firme si los demás no respetan tus deseos. Recuerda tu solicitud una y otra vez.
- La dignidad y el respeto no son un callejón de dirección única. Trata a los demás como quisieras que te trataran a ti.

Las mejores réplicas se las lleva el viento si no se goza de autoridad. Sin embargo, si irradias la fuerza suficiente, incluso un sencillo «hola» puede tener un efecto aplastante. Es decisiva la energía que hay detrás de las palabras.

No podemos evitar, aun contando con un escudo protector o comportándonos con autoridad, que alguien se burle de nosotros. Si esto ocurre, no eres tú quien ha cometido un fallo, sino el agresor. No tienes que hacerte reproches, sino que debes cuidar de tu bienestar. En las próximas páginas te informamos sobre las medidas que puedes tomar después de la agresión.

Los primeros auxilios tras la agresión

«Me quedo atónito cada vez que alguien se burla de mí», comenta un participante en las prácticas de negociación. «Reacciono como si me hubiesen echado un jarro de agua fría y soy incapaz de pronunciar una sola palabra.» Los agresores no suelen anunciar sus ataques, por lo que nos cogen desprevenidos. El efecto sorpresa agrava el ataque. Ambos factores, primero el ataque repentino y después el hecho de sentirse vendido, resulta muy doloroso y nos bloquea. No se nos ocurre nada ingenioso, a pesar de que pasen por nuestra cabeza toda clase de pensamientos. En general, el agresor atrae toda nuestra atención. Ya no nos fijamos en nosotros, sino únicamente en él, lo que consume nuestra energía. Para romper el hechizo es necesario desviar la atención. Lo más importante no es el agresor, sino nosotros. Nuestro bienestar es lo principal. No importa lo que haya hecho nuestro adversario, lo primordial es que nos recuperemos enseguida. Más tarde le tocará el turno al agresor.

He preparado una especie de botiquín de primeros auxilios que, previo a cualquier contraataque, te ayudará a despertar del letargo.

Aplicar los primeros auxilios tras un ataque

- *Respira hondo. Inspira y expira lentamente*

Los ataques repentinos son un sobresalto que nos cortan la respiración. Es una reacción automática, pero nuestro cerebro necesita oxígeno para poder pensar claramente y nuestra voz necesita aire para no sonar de forma ahogada. Por lo tanto, llena tus pulmones de oxígeno. Antes de responder al agresor, hace falta tener el suficiente oxígeno. Inmediatamente después del ataque, inspira y expira hondo.

- *Guarda la distancia*

Reserva un espacio a tu alrededor. Sin él no puedes pensar con claridad. Retrocede uno o dos pasos. Corre la silla hacia atrás o hacia un lado. Si el ataque te coge sentado, una opción es levantarse.

- *Ten sangre fría. No te sometas a presión*

¿Deseas sorprender al agresor con una respuesta rápida, ingeniosa o impactante? Olvídate. No pretendas lo imposible. Únicamente conseguirías someterte a una fuerte presión, lo que sería contraproducente. Rebaja tus pretensiones.

- *Tómate el tiempo necesario*

El agresor necesita saber si su ataque ha tenido éxito y espera la reacción. Por lo tanto, tienes tiempo. Manténlo en ascuas y recapacita con tranquilidad. Tras reflexionar un rato, comunícale que contestarás a su comentario al día siguiente. O a la semana siguiente, el miércoles, hacia las dos del mediodía.

• *Escoge la opción más fácil*
Normalmente, los ataques suelen ser simplones, vulgares y descorteses, sin ningún resquicio de inteligencia o agudeza. ¿Para qué molestarse en encontrar una respuesta ingeniosa? ¿Para qué malgastar nuestro potencial de inteligencia y nuestros sentimientos? Elige la opción más fácil. En los próximos capítulos encontrarás muchas respuestas que te ahorrarán energía. Escoge lo más cómodo.

La primera reacción después de ser blanco de una burla es inspirar, que es justo lo que hay que hacer. Es necesario tener oxígeno, espacio y no estar bajo presión. Lo demás se produce por sí solo. Procura pensar con calma. A nadie le importa cuánto tiempo necesitas emplear para tomar una decisión. Es prioritario que vuelvas a centrarte y así podrás actuar serena y concentradamente. Sólo recuperarás el equilibrio interior cuando consigas reducir el estrés.

El estrés alienante

Algunos de los alumnos temían, en un principio, que las medidas de primeros auxilios fueran demasiado prolijas. «Antes de que termine de respirar, de hacerme sitio, de tomarme mi tiempo, habrá desaparecido cualquier rastro del agresor.» Están equivocados. La mayoría de los agresores quiere ver los frutos de sus ataques y espera con impaciencia la reacción de las víctimas. Confiemos en la curiosidad innata del agresor. Además, toda esta ceremonia no está pensada para el agresor, sino para nosotros mismos, para que podamos volver a pensar con claridad. Las medidas de primeros auxilios son parsimoniosas únicamente en apariencia, porque no estamos habituados a ellas.

Cualquier nuevo hábito que se adquiere, sea escribir a máquina o conducir un coche, es realizado con torpeza y lentitud mientras no se convierte en costumbre. Entonces funciona solo.

Si somos demasiado exigentes con nosotros mismos nos sometemos a una presión innecesaria: «¡Has de contestar rápido!», «¡Corre, di algo!», «¿Por qué no se me ocurre nada?». La presión, por su parte, genera estrés. Y el estrés causa en el cerebro un estado de alerta, lo que desencadena un impulso de lucha o de huida. Toda nuestra fuerza se concentra en la musculatura para que estemos preparados a correr por nuestra vida o a combatir contra un tigre. Al mismo tiempo, las funciones cerebrales se reducen al mínimo y, por lo tanto, también la capacidad de reflexión que nos ayuda a buscar soluciones y a pensar de forma creativa, que es justo lo que nos hace falta para encontrar respuestas rápidas e ingeniosas. El estrés aliena. Es por ello que nos quedamos en blanco en las situaciones más difíciles. Efectivamente, la obligación que nos imponemos de contestar lo más rápidamente posible nos bloquea. Sin embargo, hay personas cuya capacidad de respuesta inmediata se incrementa cuando están furiosas. Pero sus contestaciones no suelen ser muy inteligentes. Más de una de estas «ametralladoras» se ha arrepentido, a la postre, de su espontaneidad. Una réplica mal dada puede convertirse en un gol en propia portería.

Desarrollar una autodefensa eficaz significa actuar según los propios intereses. Lo primordial es procurarse bienestar y proceder según nuestras prioridades. Impresionar al agresor con nuestra respuesta es secundario.

Lo más importante en una situación difícil es mantener la cabeza clara y no dejarse arrastrar por el torbellino de los sentimientos. Antes de defendernos deberíamos tener clara nuestra reacción. Para ello necesitamos tener la cabeza despejada. Suelo recomendar a mis alumnos que, al principio, no intenten replicar a las burlas y se concentren en practicar las medidas de primeros auxilios. Cualquier burla, cualquier comentario insolente, sirve para entrenarnos.

Con las medidas de primeros auxilios, el escudo protector y la seguridad en uno mismo estamos bien preparados para cualquier ataque. Pero todavía quedan pendientes las respuestas concretas a un ataque verbal. Los próximos tres capítulos vuelven a girar en torno a la autoridad, en torno a nuestro poder de decisión. Nos ayudarán a decidir cuándo queremos luchar y cuándo no. También se hablará de nuestra capacidad para ignorar las provocaciones y torear al agresor.

Ganar sin luchar

Quien opte por una postura pacífica disfrutará de una libertad de acción sin límites, con innumerables posibilidades para vivir y actuar según las circunstancias y según sus conocimientos y su saber.

André Protin

Ignorar al agresor

Casi todos los comentarios insolentes tienen como único objetivo la provocación. Pretenden aguijonear al contrario, descalificarlo y que le dé vueltas al comentario. La persona que está decidida a provocarte, encontrará con toda seguridad tus puntos débiles para pinchar allí donde duele. La libertad principal, que ayuda a asimilar las rarezas de los demás, es la capacidad de saber obviar las provocaciones e ignorar los comentarios insolentes. Sólo tú decides cuándo quieres luchar. Sólo tú decides qué admites y qué no. Es muy importante tomar una decisión a conciencia para evitar el peligro de ser provocado por cualquier comentario o de involucrarse en una pelea. La primera consideración ante una burla debería ser: «¿Debo admitirla?». Si en aquel momento estás ocupado en tareas más importantes, ignora al agresor.

En esta parte del libro te propongo tres estrategias para esquivar al agresor. La primera consiste en aplicar dos métodos distintos de reaccionar sin hablar, la segunda, en una desviación del tema y, la tercera, en atajar el ataque con un comentario breve y cortante. Estos métodos permiten reaccionar ante la burla sin llegar a mayores, sin necesidad de involucrarte en una pelea. Las ventajas de esta estrategia de autodefensa pacífica son evidentes:

en primer lugar, no trastoca tus planes. Al fin y al cabo, tu actividad no consiste en esperar a que alguien te ataque, tienes cosas mejores que hacer. Además, cualquier discusión distrae nuestra atención y, por lo tanto, si optamos por no pelearnos podremos seguir desarrollando nuestras actividades. En segundo lugar, pasar del agresor contribuye a mantener nuestro estado emocional en armonía, evita la exasperación de los sentimientos. En resumen, prevenimos una escalada de la violencia. Además, hacer lo posible para no discutir puede ser importante si debemos mantener una relación cordial con el contrario.

Ahorrar energía

Ignorar al agresor no es una postura muy cordial. Para algunas personas, ser ignoradas es una ofensa con mayúsculas, sobre todo si la intención del ataque era lucirse. En estos casos, ignorar al agresor significa aguarle la fiesta y ahorrarse el disgusto

Ignora al agresor

de una pelea, en la que, tanto si ganas como si pierdes, siempre acabarás invirtiendo mucha energía. ¿Tú crees que vale la pena? Ignorar al agresor es reaccionar con un programa de ahorro de energía. Liquidarás el malestar con un esfuerzo mínimo y obligarás al agresor a llamar la atención en otra parte.

Desde que estoy escribiendo el libro ha venido mucha gente a mi consulta para contarme sus experiencias con respecto a burlas, comentarios insolentes y críticas injustificadas. Tras contarme su historia, todos me preguntan: ¿qué es lo que podría haber contestado en esta situación? Y yo siempre respondo: ¿es necesario contestar? ¿Sacas algún provecho?

Un guiño para sarcásticos

El agresor no emplea las provocaciones como un pasatiempo inofensivo. En la vida laboral se recurre a las provocaciones como una estrategia para manipular a la víctima.

Cristina nos puede servir de ejemplo. Me habló de un compañero que le provocaba con sus comentarios insolentes. Según Cristina, su compañero era un sarcástico. Ambos fueron contratados al mismo tiempo y entre los dos existía una competencia soterrada. Cuando a Cristina le tocaba exponer sus ideas en una conferencia, su compañero se burlaba de ella justo antes de la reunión: «Tienes un aspecto deplorable esta mañana, ¿has dormido en el pajar?» o: «Por lo visto hay gente aquí que cobra por sus piernas bonitas». Ante las provocaciones, Cristina perdía los estribos, se ponía a cien justo antes de su intervención. No era precisamente un estado de ánimo adecuado ante la perspectiva de tener que ganarse a un público con su poder de convicción. Ella intentó no callarse nunca ante las provocaciones, pero lo único que conseguía era caldear aún más el ambiente.

Él se burlaba, ella le contestaba y se sentía herida, se exaltaba y su compañero volvía a llevarse el gato al agua. Cristina no cejaba en el intento de encontrar la superrespuesta para acallar de una vez por todas a su compañero, sin saber que con ello se tendía su propia trampa. Siempre que intentaba pagarle con la misma moneda, se trastornaba. En vez de reunir fuerzas y centrarse en su inminente intervención, perdía los estribos y se enzarzaba en una discusión circunstancial. Cuando nos conocimos, Cristina únicamente quiso que le sugiriera una réplica genial para vengarse de su compañero burlón. «¿Qué le respondo cuando me dice que tengo un aspecto espantoso y que parece que haya dormido en el pajar?», me preguntó. Una respuesta genial no iba a resolver nada, la solución era no dejarse provocar, dejar al burlón apurar sus burlas, sin resistencias. Nada de réplicas ingeniosas ni derroche de energías. El ataque se queda sin respuesta. La idea de ignorar al agresor sorprendió a Cristina y contestó que le resultaría difícil ignorar totalmente al agresor. Estaba de acuerdo en renunciar a contestar a sus provocaciones, pero quería reaccionar de alguna forma a sus comentarios insolentes. Repasamos con Cristina los códigos del lenguaje corporal, que encontrarás al final de este capítulo. Lo que más le gustó fue guiñar el ojo y no tardó en ponerlo en práctica. Al siguiente comentario insolente de su compañero reaccionó guiñándole el ojo con complicidad y sin pronunciar palabra. Luego relató su experiencia: «Me provocó preguntándome si me había caído dentro del pote de maquillaje. En vez de contestarle, le guiñé el ojo, lo que le cogió desprevenido. Se irritó y me preguntó si me había entrado algo en el ojo. Volví a guiñarle el ojo sin decir palabra. Me empezó a gustar este juego. Me interpeló sobre si había hecho un voto de silencio. Se me escapó la risa y le guiñé los dos ojos, lo que le dejó totalmente estupefacto. Meneaba la cabeza mientras murmuraba algo ininteligible. Ya podía decir lo que quisiera, no me afectaba, simplemente le dejé plantado». Cristina estaba radiante mientras me contaba su experiencia. Había dejado de ser una víctima. Había escapado de la trampa de las provocaciones. Su relación con el compañero, sin embargo, no había cambiado. Ambos seguían haciéndose la competencia. Lo único que había hecho Cristina era defenderse contra los ataques. Esta técnica de autodefensa «desarma» al agresor. Las situaciones y los comportamientos posteriores son harina de otro costal. Cristina podría seguir comportándose como si no pasara nada. O, en un momento dado, podría aprovechar la situación y hablar abiertamente con su compañero sobre la lucha soterrada que mantienen ambos. Decida lo que decida, ella actuará desde una posición de fuerza.

La provocación como factor de manipulación

La provocación es un truco de manipulación utilizado a menudo en discusiones y negociaciones. Consiste en lo siguiente: el agresor quisiera parar los pies a su contrario sin tener argumentos de peso, por lo que recurre a métodos poco rigurosos. Primero, el agresor suele tantear el terreno con pequeñas indirectas. Si éstas surten efecto, atacará de forma más dura. El resultado es diáfano: la víctima se enzarza en una disputa y se distrae. Dejarse entretener con indirectas y ataques personales significa desviarse del asunto que nos ocupa. Perdemos de vista nuestras propias metas, con lo que le regalamos una victoria al agresor. Pero aún podría ser peor. A un ataque injusto y repentino se suele reaccionar con indignación, por lo que nuestro tono de voz se vuelve más agresivo y levantamos la voz. En el momento en que la víctima se encuentra emocionalmente desequilibrada, el agresor ha vuelto a triunfar. Meneará la cabeza como si no entendiera la reacción impetuosa de su contrario y exhibirá su propia compostura serena y sosegada. «Intenta ser un poco más equitativo» o: «¿por qué te excitas tanto?». Este tipo de frases acaba definitivamente con la moral de la víctima. Al final, el agresor controla la situación y la víctima, totalmente fuera de juego, se olvida de sus objetivos iniciales. El agresor, en cambio, parece tranquilo y sereno.

No es difícil defenderse ante estas situaciones. Imagínate la escena siguiente: el contrario coge carrera y te enfila para luchar o para tumbarte. La cuestión es que corre directamente hacia ti. ¿Cómo puedes dominar la situación sin grandes trastornos? Simplemente apartándote. Procura que pase de largo. El mismo método es válido en caso de un ataque verbal. Es cuestión de hacerse el sordo, de no reaccionar a la provocación, de seguir desarrollando nuestra actividad con normalidad. De esta forma ignoras el ataque.

Esquivar al agresor: ignorar el ataque

- *El objetivo:* Ignorar el ataque.
- *Trucos para su aplicación:* Esquiva el ataque. No le des más vueltas ni te lances a un contraataque. Tienes cosas mejores que hacer.

Si te resulta difícil no reaccionar al ataque, puedes contestar con algunos gestos. Lo importante es involucrarse lo mínimo posible.

Esquivar al agresor: gestos mudos

- *El objetivo:* Permanecer mudo y responder al ataque con el lenguaje corporal.
  - Después del comentario insolente miras al agresor con los ojos muy abiertos, como si tuvieras delante de ti a un extraterrestre. No pronuncies ni una sola palabra.
  - Saluda amablemente con la cabeza como si te cruzaras con un viejo conocido.
  - Tómate un respiro y observa al contrario con curiosidad, como si se tratara de un ser raro y exótico.
  - Sonríe sabiamente como si hubieses tenido una iluminación.
  - Coge papel y bolígrafo y anota el comentario insolente.
  - Haz tus ejercicios de respiración. Inspira profundamente y expira muy lenta y notoriamente.

- *Trucos para su aplicación:* No justifiques tu comportamiento, ni siquiera si el contrario muestra signos de extrañeza. Concéntrate en la labor que estabas realizando con anterioridad. No te dejes distraer ni gastes más energía.

De parlanchines y meteduras de pata

Hay otro motivo por el que vale la pena no reaccionar a un comentario insolente, porque resulta que, a veces, no se trata de un comentario de dichas características. Puede ocurrir que nos indigne una observación imprudente que ha sido expresada de forma precipitada y que nos ha herido. Puede que se haya dicho sin mala intención, pero que nosotros lo hayamos interpretado mal. Un porcentaje considerable de comentarios insolentes y ofensivos solamente son observaciones imprudentes. El siguiente párrafo podría servir de ejemplo: «Hola, ¿qué tal? Hace tiempo que no nos vemos. Tienes un nuevo corte de pelo, ¿verdad? Está muy bien. A mí, sin embargo, me daría mucha vergüenza ir por la calle con este corte de pelo. Pero, claro, tú eres mucho más valiente. Eso es cosa de cada uno. ¿Y qué haces este fin de semana?». ¿Eso se puede considerar un comentario insolente? Depende de cómo se interprete. Podría tratarse, efectivamente, de una ofensa o podría ser simplemente un pensamiento expresado en voz alta. Si quieres averiguarlo, sólo puedes hacer una cosa: preguntar. Únicamente puedes saberlo con certeza si preguntas directamente a tu interlocutor sobre el sentido de sus palabras. Aparte de las personas que sueltan todo sin pensarlo mucho, están las que tienen poco tacto. Estas personas poco sensibles suelen meter la pata sin que haya mala intención en lo que dicen. Simplemente son muy espontáneas al expresar sus opiniones: «¿Estás a régimen? ¡Pero si no te hace falta con tu figura! ¡Si lo tienes todo muy bien repartido! Bueno, los muslos... ejem... pero a mí me gustan las piernas fuertes y robustas, con las que sabes lo que tienes». Esta sinceridad pasmosa puede resultar humillante. La intención puede haber sido totalmente inocente, pero si hace tiempo que tus muslos te acomplejan, esta frase te deja para el arrastre. Las personas insensibles no se dan cuenta de los puntos débiles de los demás, por lo que no vale la pena elucubrar sobre todas y cada una de sus palabras. En caso de duda, lo mejor es pasar y no dar vueltas sobre el significado profundo de dicho comentario. Hacer cavilaciones sólo empeorará las cosas. Olvídate.

Espero que este capítulo te haya convencido de que quedarse mudo ante un ataque no significa forzosamente una derrota, sino que puede ser una muestra de superioridad. Tú eres el único en decidir a quién prestas atención y a quién no. Sin embargo, si a pesar de todo prefieres hacerte oír, encontrarás a partir del próximo capítulo todo tipo de sugerencias. Las siguientes estrategias de autodefensa utilizan las palabras.

Desviar el ataque

Una gran parte de los comentarios insolentes puede ser anulada sin que haya que emplearse a fondo y sin gastos inútiles de energía. Simplemente pasas del comentario e ignoras al agresor. Sin peleas, sin despilfarros de energía. No obstante, hay situaciones en las que resulta más fácil contestar. Sobre todo si quedarse callado está fuera de lugar, como lo demuestra el ejemplo de Rita, que se equivocó en la factura a un cliente. Su jefe se dio cuenta del error, corrigió la factura y se la devolvió a Rita. Una compañera suya dejó la factura en su mesa junto con una nota, en la que decía: «¡Vaya error garrafal! La próxima vez, intenta usar el cerebro cuando trabajes». Una superflua patada en el hígado. A Rita le costaba no dar réplica. No quería quedarse callada, pero tampoco quería dejarse provocar. Para estas situaciones existen palabras que ayudan a torear al agresor.

Cambiar de tema

Desvía el ataque. Cambia de tema. Habla sobre un tema que no tenga nada que ver con el ataque. Cuanto más insustancial y banal sea el tema, mejor. Esta desviación actúa de repelente, como un neopreno ante el agua. De esta forma demuestras que el ataque no te afecta. Renuncias a defenderte, a justificarte, a contraatacar. A cambio, dominas la conversación. En el plano figurativo es como si desviaras un tren que iba en sentido contrario. Simplemente cambias las agujas de la vía. Distraes la atención del agresor y también la tuya. Nada más. Cualquier tema es válido para efectuar el desvío. Puedes hablar sobre el queso francés, unos remedios contra los callos o las oscilaciones de la bolsa. La mayoría de las personas que han descubierto esta técnica de autodefensa suelen recurrir a temas corrientes, que deseaban comentar de por sí o sobre los que estaban deliberando últimamente.

En el caso de Rita, la desviación podría transcurrir por el sendero siguiente:

- *El ataque de la compañera:* «¡Vaya error garrafal! La próxima vez, intenta utilizar el cerebro cuando trabajes».
- *El desvío:* «Hoy lloverá. ¿Has traído paraguas? Yo vi el parte meteorológico, pero anunciaban buen tiempo. Me gustaría saber en qué se basan cuando hacen las predicciones del tiempo. Yo creo...».

El comentario de la compañera se ha quedado fuera de contexto. No ha tenido réplica, no ha provocado indignación ni ha dado lugar a justificaciones.

Nadie puede imponer un tema de conversación

Si el agresor tiene la potestad de abordar un tema, tú también la tienes. ¿Existe algún decreto que te obligue a seguir la conversación ajena? Nadie puede imponerte un tema de conversación. Tú decides sobre lo que quieres hablar. Resístete a castigar de pasadas al agresor. Toréalo totalmente. Si el comentario del interlocutor se queda sin respuesta, no tendrá eco, no tendrá repercusiones. Es suficiente. No gastes más energía. Hay cosas más importantes que los pensamientos retorcidos de los demás. ¿Y si el agresor insiste en su burla? La obstinación sólo puede ser combatida con más obstinación. Continúa desviándote del tema, sin elegancias ni astucias. Desvía el tema sin rodeos. Por ejemplo, de la forma siguiente:

- *El ataque:* «¡Pero qué aspecto tienes! ¿No te da vergüenza ir por la calle con este peinado?».
- *El desvío:* «Ahora que mencionas la calle, acabo de enterarme de que sube la gasolina. No sé a qué llevará todo esto. Un litro de gasolina pronto costará lo mismo que una entrada de cine. ¿Quién podrá permitirse coger el coche? Creo que...». (Si no conoces las tarifas actuales de la gasolina, no importa, charla sobre tu desconocimiento sobre el tema.)
- *El ataque:* «¿El carricoche de delante de la puerta es tuyo? De aprendiz tenía uno parecido. Es el coche ideal para gente que no da importancia a la seguridad ni al confort. Yo, desde luego, no me subiría a él ni para hacer un trayecto de prueba».
- *El desvío:* «¿Sabes?, yo pienso en cosas muy distintas. ¿Por qué repiten tanto los programas en televisión? Puedo poner la mano en el fuego de que siempre que decida acomodarme en el sofá para mirar tranquilamente la televisión, sólo emitirán películas que ya he visto al menos dos veces».

Puedes comenzar un nuevo tema de conversación sin que tenga ninguna clase de conexión con el tema anterior, pero también puedes buscar algún tipo de puente o enlace. Podrías utilizar las siguientes fórmulas:

- En este mismo momento acaba de ocurrírseme algo totalmente distinto, se trata de...
- En estos momentos me pasa por la cabeza algo que no tiene nada que ver con este tema...
- Desde hace un tiempo le doy vueltas a...

Cambiar de tema sin justificación

El interlocutor suele darse cuenta de que has desviado la conversación y constata que no ha recibido respuesta a su ataque. Cabe, dentro de lo posible, que el agresor insista en su ataque para obtener la atención debida. Dicha situación podría desarrollarse de la manera siguiente: «Eh, te has desviado del tema. ¡Contesta a lo que te he dicho!» o: «Te estás saliendo por la tangente, estamos hablando de otra cosa». Es cierto, has cambiado de tema, pero no te justifiques. Tienes todo el derecho de cambiar de tema. Si quieres, puedes ratificarlo diciendo: «Sí, he cambiado de tema», «Sí, me desvío del tema» o «No quiero contestar a tu comentario». Y también puedes poner tus cartas boca arriba: «Sí he cambiado de tema. He recurrido a una estrategia de desviación que leí en un libro. Era muy escéptico con respecto a los resultados de dicha estrategia, pero me he dado cuenta de que resulta muy fácil cambiar de tema...». El interlocutor condenará el cambio de conversación siempre y cuando no reacciones de la forma en que él o ella hubiera deseado. Ser ignorado es un duro castigo. Para algunas personas es peor que una pelea.

La desviación

- *El objetivo:* No responder al ataque, sino hablar de un tema completamente distinto.

- *El ataque:* «¿Qué pasa que últimamente sólo tienes pajaritos en la cabeza, cuando normalmente sueles ser razonablemente inteligente?».
- *La desviación:* «Ahora que hablamos de ello, ¿te gusta el queso fresco bajo en grasas? A mí no me dice nada, yo prefiero el queso sabroso y curado...».
- *Otras desviaciones posibles:*
  – «Encuentro que en televisión repiten demasiado los programas».
  – «Un verano caluroso y soleado se agradece, pero tampoco me gusta que sea demasiado caluroso».
  – «Yo creo que en los tiempos que corren la mejor inversión es la inversión inmobiliaria».
  – «A mí los espárragos no me parecen tan exquisitos».
  – «Lo peor del invierno es el frío húmedo que te cala hasta los huesos».
- *Consejos para su aplicación:* Cambia de tema sin vacilaciones. Resiste la tentación de devolverle la jugada al agresor con un nuevo tema de conversación (por ejemplo: «¿Has hecho alguna vez un test de inteligencia?»). Cuanto más banal y trivial sea el tema elegido, más efecto tendrá.

A chabacanerías se contesta con chabacanerías

A las personas corteses les resulta muy arduo desviar el tema de conversación, porque están acostumbradas a corresponder a su interlocutor. Incluso si éste dice tonterías. Atender a los demás es una gran cualidad que está relacionada con el saber escuchar y con la disposición a intentar comprender al otro. Este tipo de personas suele elevar el nivel de la conversación. Desgraciadamente, algunas personas corteses no saben discernir y no pueden dejar nunca de seguir la conversación de los demás. Incluso siguen atendiendo a su interlocutor cuando la conversación se vuelve en contra de ellos. Si de vez en cuando perteneces a este tipo de personas corteses, es hora de que hagas valer tu superioridad. Tienes tanto derecho a expresar tus opiniones como el otro. No existe ley alguna que dicte la obligación a atender al interlocutor. Y tampoco existe reglamento alguno que te impida hablar sobre temas tan banales como lo hacen los demás. Guarda tu vena ingeniosa, tu inteligencia sublime, tus razonamientos profundos para las ocasiones en las que vale la pena dar lo mejor de sí.

Una ración de indiferencia

Desviar el tema de conversación es también un desafío para las personas beligerantes. «Me resulta imposible pasar de un comentario insolente», recalcó una señora en una ocasión. «Tengo que presentar un frente para que el contrario no piense que se ha salido con la suya. No se la puedo dejar pasar.» Yo valoro una actitud luchadora, pero hay que elegir. Si hemos de enfrentarnos a todos y cada uno de los comentarios impertinentes, estaríamos metidos en refriegas con todo el mundo. Bastaría una indirecta, una suposición, una observación inconveniente para exaltarnos. Nuestra atención estaría constantemente atrapada y malgastaríamos nuestra energía. Para aplacar este carácter impetuoso, sólo hay un remedio: procurarse una gran ración de indiferencia. Ignora todo aquello que te enerva, parecido al dicho: «Agua que no has de beber, déjala correr». Deja que corra el agua, continúa tu camino.

La desviación del tema no busca la perspicacia, sino la dulce nada. El efecto de la desviación reside en su inocuidad. No te esfuerces. El agresor está al acecho y nota el más mínimo esfuerzo que hagas. Se llevará un disgusto si no te inmutas. Si te gusta proceder sin esforzarte demasiado, encontrarás en el próximo capítulo un nivel superior de la estrategia expuesta. ¿Qué tal defenderse con sólo dos sílabas?

No hay que moderse la lengua

¿Te gustaría contestar de forma ingeniosa a un comentario insolente? ¿Te gustaría desconcertar al agresor con una réplica brillante? Estoy segura de que una gran parte de la idea que tenemos sobre las respuestas y réplicas brillantes e ingeniosas provienen de las series de televisión y de las películas de cine, donde un tipo duro persigue a los delincuentes, recibe un impacto de bala y, a pesar de una importante pérdida de sangre, es capaz de pronunciar una frase inteligente. Muy impresionante, pero ocurre que en la secuencia han estado trabajando dos guionistas durante varias noches. En la vida cotidiana tenemos la desventaja de no poder contar con nadie que invente para nosotros un par de réplicas rotundas. Y si nos quedamos en blanco, no hay ningún director que grite ¡corten! y que repita la escena. Siempre estamos actuando en vivo y en directo. Para las personas que suelen quedarse mudas ante un ataque verbal sería un gran alivio dar la respuesta que sea. Por eso quiero presentar una réplica sencilla, que te servirá para defenderte en cualquier situación. Incluso si eres de aquellos que nunca encuentran las palabras adecuadas.

Ser perspicaz

Para ser perspicaz no hacen falta más que unas sílabas. Seguimos con nuestra táctica de torear al agresor. La réplica consiste en un sencillo: «¡No me digas!» o: «Vaya, vaya». Es suficiente para anular un ataque sin grandes esfuerzos. Por ejemplo: un cliente pregunta a un dependiente de un supermercado dónde puede dejar los envases y el dependiente contesta: «Me gustaría saber para qué le sirven los ojos. En todas partes tenemos carteles con las instrucciones de dejar los envases en la sección de verdulería». El comentario del cliente de «Ya veo» es suficiente.

Una madre comenta a su hija adulta: «Parece que hayas comprado tu vestido en "los encantes"». La respuesta de la hija es: «Qué cosas dices».

El ataque: «Te estás poniendo en ridículo». La réplica: «Vaya, vaya». Nada más. Con unas pocas sílabas desmontas un comentario insolente sin darle importancia. Un simple «¡no me digas!» demuestra la nimiedad del ataque. No vale la pena perder muchas palabras. Sin embargo, no hay que subestimar la eficacia de un simple «¡no me digas!». Si el agresor se emplea a fondo para acabar contigo mediante un ataque verbal, un sencillo «¡no me digas!» puede sonar muy insolente. Es como si pidieras al contrario que se vaya a freír espárragos.

Las réplicas de pocas sílabas son especialmente útiles en las siguientes situaciones:

- El agresor se pavonea para enterrarte bajo una avalancha de palabras, pero lo único que pretendes tú es no malgastar energías.

- El ataque proviene del señor o la señora Importante y no te apetece discutir.
- Tienes cosas mejores que hacer que ocuparte de los extraños puntos de vista de otra gente.
- Te quedas mudo y te basta con soltar algún sonido.
- Quieres parar el ataque de entrada y dejar para más tarde el esclarecimiento de las cosas.
- Alguien te está soltando una serie de banalidades y pretende que opines sobre ellas, pero no se te ocurre nada. Con un par de sílabas es suficiente.

El comentario monosilábico

- *El objetivo:* Replicar al ataque con pocas sílabas.
- *El ataque:* «Por lo visto algunas cobran aquí por sus piernas bonitas».
- *El comentario monosilábico:* «¡Qué cosas!».
- *Otros comentarios monosilábicos:* «¡Vaya!», «Ya veo», «Ostras», «Qué pena», «¡No me digas!», «Aah».
- *Consejos para su aplicación:* El comentario monosilábico es una respuesta mínima para ahorrar energía. Resulta especialmente adecuado para personas que se quedan mudas y sin recursos ante una burla. Haz un punto y aparte detrás de tu réplica monosilábica aunque estés tentado a añadir algo más.

Dos sílabas para los sabelotodo

Se puede emplear la réplica monosilábica una vez se ha decidido no dejarse provocar por los puntos de vista de los demás. De vez en cuando doy seminarios a personas empleadas en la atención al cliente o que atienden a los propios clientes. Muchos asistentes a estos seminarios adoptaron el comentario monosilábico como una de sus estrategias favoritas para tratar con clientes difíciles. Wilfred, un técnico para instalaciones de calefacción y aire acondicionado, comentó en una ocasión: «Los peores clientes son aquellos que piensan saber más que el técnico. Algunos tienen un conocimiento parcial de la materia y me instruyen durante horas sobre lo que tengo que hacer y qué junta he de utilizar. No lo soporto. Solía decir al cliente que su punto de vista era erróneo y le aclaraba el asunto. El cliente se ofendía y comenzábamos a discutir sobre quién tenía razón. A la postre, el cliente se quejaba ante mi jefe por la falta de cordialidad y, como consecuencia, recibía una amonestación. Me entusiasmó la respuesta monosilábica, porque no soy un gran orador. Ahora, cada vez que un cliente me explica tonterías, le escucho y respondo simplemente con un «¡vaya, vaya!». Después hablo de los asuntos importantes de mi trabajo. Le explico lo que técnicamente es importante y lo que no. Ya no me dejo provocar por sus puntos de vista.

No hay que intentar cambiar al agresor

Todas las estrategias para ignorar al agresor sirven, sobre todo, para hacerte la vida más fácil. No pretenden transformar al agresor en una buena persona. Nadie puede cambiar en contra de su voluntad. Nuestra voluntad termina allí donde empieza la del otro. Todos determinamos nuestro propio comportamiento. Por supuesto que somos capaces de cambiar, pero sólo si así lo decidimos. La mayoría de la gente suele volverse intransigente cuando está sometida a presión. Es decir, si intentas por todos los medios transformar al agresor, seguramente pasará lo siguiente: el aludido se dará cuenta de tus intenciones y se volverá tozudo, más que nunca. Puede que sus procedimientos sean incluso más radicales. La transformación sólo se realizará en ti. Empezarás a tener una fijación en el otro. Analizarás todo lo que diga o haga y lo mirarás con lupa. Cualquier gesto, cualquier suspiro y cualquier palabra serán sopesados. Tu comportamiento dependerá de la actitud del agresor. Poco a poco llevarás orejeras y perderás tu libertad de acción. Solamente darás vueltas al último comentario insolente y pensarás en todo lo que podrías haberle dicho y en lo que le dirás la próxima vez. Esperas tener una próxima oportunidad. En resumen, tus pensamientos giran en torno al agresor como un planeta gira alrededor del sol. Si intentas cambiarlo, estarás cada vez más ligado a él. Este tipo de relaciones tan estrechas solamente vale la pena si el otro te importa. Pero entonces es mejor aclarar las cosas sin rodeos, decirle lo que te molesta y cómo te gustaría ser tratado. Encontrarás una ampliación de este tema en el capítulo «Hablar claro», a partir de la página 89. En todos los demás casos, no te compliques la vida, déjalo estar. Libérate de su órbita. Deja que el agresor se comporte como quiera, lo que no significa que debas admitir sus ataques, ofensas y otras desconsideraciones. Muy al contrario. En el próximo apartado te propondré réplicas diversas. Aprenderás a defenderte confundiendo, interrogando o incluso alabando al agresor.

Las réplicas a bote pronto

En la situación extrema de un ataque, nuestro amor propio y la confianza en nosotros mismos son decisivos para defendernos. Esto también puede significar que hurguemos en la nariz delante de un agresor.

KHALEGHL QUINN

Volverse imprevisible

El éxito de un ataque depende de cómo lo acoge la víctima. Todo agresor tiene una idea determinada o, al menos, inconsciente de lo que quiere conseguir. Da lo mismo que la víctima amedrentada se bata en retirada o se exalte, lo único que importa es que el golpe tenga su efecto. El agresor quiere comprobar que el comentario insolente haya llegado a su destino. En las situaciones cotidianas, las expectativas del agresor suelen cumplirse porque todos reaccionamos de una forma previsible. Nos exaltamos, nos volvemos insolentes o nos quedamos mudos y nos retiramos. Signos todos ellos más que explícitos de que el ataque ha tenido su efecto. Bailamos al son del agresor. ¡Complícale un poco la vida al agresor! Vuélvete un poco más imprevisible. ¿Qué tal con desconcertarle? ¿Qué te parece contestar a una provocación o a una burla de forma sorprendente e insólita? Fastidiarás sus expectativas de éxito, porque ya no bailas al son de su música.

Confundir al contrario

Demuestra al contrario que es inútil intentar atacarte. Para ello puedes recurrir a un sencillo principio de la comunicación, que se basa en que todo lo dicho tiene algún sentido. Nuestros cerebros son grandes buscadores de significados. Cada vez que alguien nos habla, nuestro cerebro busca automáticamente el sentido de las palabras para que podamos entender el enunciado. Puedes confiar al cien por cien en este automatismo, que también es posible aplicar a las réplicas. Di algo que no tenga sentido. Por ejemplo, responde a un ataque con un refrán que no tenga nada que ver con el ataque.

- *El ataque:* «¿Qué pasa que tienes la cabeza llena de pájaros, cuando normalmente sueles ser razonablemente inteligente?».
- *El refrán que no encaja:* «Bueno, es como aquello que dice: "Al que madruga Dios le ayuda"».

No tiene sentido, sobre todo si ya es media tarde. Un agresor corriente se encuentra ante un enigma, porque espera que respondamos a sus ataques de forma coherente. Sin embargo, lo único que encuentra es un refrán que no acaba de encajar. Por supuesto que indagará por el sentido de lo dicho, pero será en vano. Habrás logrado mandar a tu agresor mentalmente al desierto. La táctica se basa en un principio sencillo y fiable: en el momento en que se responde al ataque con un refrán que está fuera de contexto, el cerebro del agresor comienza a ponerse en marcha para buscar un sentido a la respuesta, lo cual le desconcertará. Se sentirá confundido y se encontrará fuera de juego. ¿Pero qué pasa si el agresor pregunta por el sentido de la respuesta? Anímale a que lo averigüe. Puedes decirle, por ejemplo: «Madúralo con tranquilidad» o: «Yo también he necesitado mi tiempo para averiguarlo. No te desanimes». O contesta con otro refrán tan poco apropiado como el anterior: «¿Sabes? En el fondo quiero decir con esto que "en casa de herrero, cuchillo de palo"». Rebates el ataque sin causar grandes perturbaciones. Todo lo que necesitas es una ligera propensión para lo insólito. Como dijo alguien en una ocasión, «si no lo sabes convencer, confúndelo».

Renunciar a la lógica y a la razón

La gran ventaja de esta estrategia estriba en su sencillez. Únicamente tienes que conocer algunos refranes y tener la capacidad de contestar con uno que esté totalmente fuera de contexto. Un refrán inadecuado será toda una provocación para gente que quiere mostrarse lista, lógica y racional. Quien esté apegado a los ideales de la lógica y de la razón pretende encontrar siempre una respuesta inteligente. Ocurre con bastante frecuencia que estas personas inteligentes se encuentren fuera de juego. Casi todos los ataques son más bien simplones, por lo que restringirías inútilmente tu libertad de acción si te exigieras a ti mismo/a contestar con agudeza. Respuestas inteligentes necesitan un tiempo de maduración que, en cambio, no se necesita para lanzar un burdo ataque. Por ello el agresor es más rápido y, por ello, un comentario insolente puede arrollar literalmente a las personas reflexivas. Durante el tiempo en que estén pensando una réplica inteligente, el agresor habrá soltado dos burlas más. Una buena noticia: cuando alguien te ataca no hace falta contestar racional e inteligentemente. Puedes reaccionar de forma grotesca y extraña. Para contrarrestar el ataque es suficiente recurrir a algún refrán al uso. Aquí tienes unos ejemplos:

- *El ataque:* «Lo único que pretendes es hacerte el importante».
- *El refrán inadecuado:* Ya lo decía mi abuela: «tanto va el cántaro a la fuente que al fin se rompe».

- *El ataque:* «Tienes un aspecto espantoso esta mañana. ¿Has dormido en el pajar?»
- *El refrán inadecuado:* «Siempre digo que una golondrina no hace verano».

- *El ataque:* «Eres muy presumido, pero la presunción también es un arte».
- *El refrán inadecuado:* Bueno, ya lo dice el refrán: «siempre hay un roto para un descosido».

¿También eres de los que buscan todavía un sentido en estas respuestas? Ya lo decíamos, el automatismo cerebral para buscar el sentido a las palabras es infalible. Son respuestas sin sentido. Hay agresores que se rompen la cabeza para encontrar el sentido al refrán, porque no les cabe en la mente que se pueda tratar de un sin sentido prefabricado. Una asistente a los seminarios me explicó que su agresor estuvo deliberando durante días sobre el sentido del refrán fuera de contexto y que, al final, le expuso su interpretación de todo lo hablado. Tras largas explicaciones, ella simplemente le replicó que había malinterpretado el refrán y le aconsejó seguir deliberando. Romperse la cabeza es un interesante suplicio.

El refrán inadecuado

- *El objetivo:* Contestar con un refrán que esté totalmente fuera de contexto.
- *El ataque:* «Si piensas un poquito, entenderás lo que quiero decir».
- *El refrán inadecuado:* «Una golondrina no hace verano».
- *Más refranes:*

– A Dios rogando y con el mazo dando.
– A buen hambre no hay pan duro.
– Juntarse el hambre con las ganas de comer.
– Agua que no has de beber déjala correr.
– Vísteme despacio que tengo prisa.
– La suerte de la fea la bonita la desea.
– Más vale pájaro en mano que ciento volando.
– Zapatero, a tus zapatos.
– Vale más lo malo conocido que lo bueno por conocer.
– Uno por otro, la casa sin barrer.
– Todo es del color del cristal con que se mira.

• *Consejos para su aplicación:* Utiliza el refrán inadecuado siempre y cuando no tengas ganas de darle más vueltas al comentario insolente. Deja que el agresor se abrase en su confusión.

El refrán inadecuado no sustituye la discusión. Sin embargo, antes de cualquier discusión objetiva, se han de atajar los ataques verbales. El refrán inadecuado actúa como un aguafiestas para el agresor, porque a través de esta táctica le adviertes que no llegará a ninguna parte. Aprovecha la confusión del contrario para encauzar nuevamente la conversación hacia una argumentación objetiva.

A Dios rogando, que tengo prisa

Si te gusta el refrán inadecuado puedes desarrollar tu propia técnica. Más de un asistente a los seminarios ha transformado los refranes inadecuados gracias a algún error creativo. Porque, como todas las demás réplicas, también hemos practicado los refranes. En un juego de rol se encontraban dos personas frente a frente. Uno de los asistentes hacía de agresor, y otro debía replicar con un refrán inadecuado. Durante el juego, una de las personas atacó a su compañera con las siguientes palabras: «Supongo que también serás una de esas tremendas feministas». Ella consultó su lista de refranes para elegir uno fuera de contexto. A causa de su nerviosismo mezcló algunos, y contestó: «Sí, sí, a Dios rogando, que tengo prisa». La confusión de su compañero fue mayúscula, a pesar de haber contado con una respuesta extraña. ¡No te preocupes! Si no se te ocurre ningún refrán, haz una mezcla explosiva de lo que te pasa por la cabeza. Si tienes suerte, saldrá alguna frase sin sentido.

El próximo capítulo será más sensato. Tratará sobre cómo defenderse contra una crítica injustificada.

Cómo afrontar una crítica destructiva

«Puedo soportar muy bien una crítica, siempre que sea objetiva.» Ésta suele ser la postura habitual ante las críticas. Sin embargo, ¿a qué nos referimos cuando hablamos de crítica destructiva? Nos referimos a una crítica cargada de desprecio, hiriente:

- Esta propuesta es el colmo de la estupidez.
- Tu proceder parece el de un retrasado mental.
- Tu tesis ha consistido en su mayor parte en tópicos triviales y comunes.

Estas palabras envenenadas difaman al receptor de la crítica. Para cualquier persona despreciada y difamada, una crítica siempre supondrá un ataque. No importa que la crítica sea justificada; en el momento en que nos sintamos agredidos, opondremos resistencia. Nos cerraremos interiormente, bajaremos la persiana.

Calar al agresor

Puede haber diferentes motivos para que una persona haga una crítica destructiva. En la mayoría de los casos, el que emite la crítica no acaba de estar bien consigo mismo. Arrastra el enfado y la decepción de un fracaso. Estos sentimientos negativos inciden en el tono de voz y en la elección de las palabras. Todo son reproches o exasperaciones. Se exagera y se generaliza. A ello se añade el deseo (más o menos inconsciente) de dar una lección al otro, de ponerle en su sitio.

Sin embargo, también puede haber otro motivo para una crítica poco objetiva: el agresor habla sin reflexionar y suelta lo primero que le viene en mente. De esta forma pueden escaparse frases como: «¡Qué idea más estúpida!» o: «Nunca das ni una». Se trata de expresiones espontáneas, sin el menor sentido de tacto. Pero, ¿qué ocurre si el receptor de la crítica es hipersensible? ¿Si se toma muy a pecho cualquier expresión dicha a bote pronto? Puede ser el comienzo de un conflicto: unas frases irreflexivas llegan a un oído sensible y vulnerable.

Dar una oportunidad a los críticos poco objetivos

Desafortunadamente no podemos distinguir de entrada si la crítica destructiva es un ataque en toda regla o simplemente producto de palabrerías irreflexivas. Por este motivo abogo por darle una oportunidad a nuestro interlocutor poco objetivo antes de tratarlo como a un agresor desalmado.

Un ejemplo: Margarita presentó su proyecto de marketing en una reunión de la empresa. Una compañera suya hizo el siguiente comentario con respecto al proyecto: «Has trabajado duro, pero el proyecto no deja de ser aburrido y anticuado». Eso fue todo. Margarita estaba indignada y comenzó a dar largas explicaciones sobre el aspecto novedoso e interesante del proyecto. Sin embargo, cuanto más se justificaba, más sensación tenía de que la presentación se le escapaba de las manos. Hablaba y hablaba mientras su compañera estaba cómodamente reclinada en su silla. A Margarita le invadía la sensación de desnudarse ante sus compañeros. Se sentía arrinconada, con necesidad de justificarse a pesar de la calidad de su proyecto. La defensa de Margarita ante la crítica poco objetiva consistía en una avalancha de justificaciones, lo que para el agresor era señal de que el ataque había producido el efecto esperado.

Desactivar la crítica destructiva

La crítica de la compañera hirió a Margarita por contener las palabras «aburrido» y «anticuado», unas palabras humillantes que se le clavaron cual púa envenenada. Sería deseable poner coto a semejantes palabras, lo que es relativamente fácil. Simplemente se devuelven en forma de pregunta. De esta manera cuestionamos aquello que nos duele. En el caso de Margarita, eso significa no aceptar las palabras «aburrido» y «anticuado», sino responder enseguida: «¿Qué quieres decir con aburrido?» o: «¿Qué entiendes por anticuado?». Ahora le toca a la agresora justificarse. Ha de explicar el sentido de sus palabras. Con este tipo de réplica, Margarita obtiene dos ventajas: en primer lugar consigue un respiro que le permite concentrarse nuevamente, porque le toca el turno a la compañera. En segundo lugar, la respuesta actúa como un antídoto que pone a la agresora en un aprieto. Ahora se demostrará si sus palabras están fundamentadas en argumentos objetivos o simplemente son una provocación. La agresora se desenmascarará si vuelve a contestar a las réplicas desintoxicantes con simples tópicos. Margarita puede insistir en todas y cada una de las palabras envenenadas hasta que incluso el más dormido de los asistentes a la reunión se dé cuenta de las aportaciones poco constructivas de la agresora.

En el seminario reproducimos la presentación de Margarita para poder practicar sobre el terreno la técnica de autodefensa. Yo representaba el papel de agresora y Margarita reprodujo nuevamente la situación real:

EN MI PAPEL DE AGRESORA: Has trabajado duro, pero tu proyecto es aburrido y anticuado.

MARGARITA: ¿Por qué crees que es aburrido?

AGRESORA: Bueno, todo está muy visto.

MARGARITA: ¿Qué quieres decir con que está muy visto?

AGRESORA: Pues que es lo usual, nada nuevo. Un proyecto de marketing poco imaginativo.

MARGARITA: He intentado profundizar en tus objeciones por partida doble, pero siguen siendo argumentos poco concretos y subjetivos. No me sirven. Sin embargo, con mucho gusto puedo volver a señalar las partes interesantes de mi proyecto. En primer lugar, está la presentación del producto...

Margarita resumió brevemente los puntos más importantes de su proyecto, pasando por encima de las objeciones poco oportunas de la agresora. De esta forma demostraba su superioridad y serenidad. Tras el juego de rol comentó: «Las reiteradas preguntas me ayudaron a mantener el control y a no caer en un estado de ánimo negativo. Ni una sola palabra hiriente me afectó. Simplemente devolvía la pelota».

Fuera de servicio

Enfréntate a los comentarios poco constructivos como si no entendieras las palabras, como si te hablaran en un idioma extraño que no entiendes. En el fondo es eso. ¿Quién conoce el significado profundo de «anticuado»? Y ¿qué quiere decir «aburrido»? Cuestiona estas palabras en el acto. No te defiendas, simplemente no las entiendas. Si nos defendemos demostramos que el veneno ha hecho su efecto y que lo queremos combatir. La autodefensa comienza mucho antes. Bloquea tu capacidad de entendimiento. Cambia el chip a «fuera de servicio». Practica un poco lo de hacerte el loco, de forma que parezca que no acabas de entender ciertas palabras. Tu dificultad de entendimiento pondrá arena en el engranaje.

Algunos ejemplos más:

- *Crítica destructiva:* «Esta propuesta es el colmo de la estupidez».
- *Réplica desintoxicante:* «¿Qué quieres decir con "el colmo de la estupidez"?»

- *Crítica destructiva:* «Tu proceder parece el de un retrasado mental».
- *Réplica desintoxicante:* «¿A qué te refieres con "retrasado mental"?»

- *Crítica destructiva:* «Tu rendimiento está bajo cero».
- *Réplica desintoxicante:* «¿Qué entiendes por "bajo cero"?»

- *Crítica destructiva:* «Este tipo de presentación es de muy mal gusto».
- *Réplica desintoxicante:* «¿Qué significa para ti la expresión "mal gusto"?»

- *Crítica destructiva:* «Tu tesis ha consistido en su mayor parte en tópicos triviales y comunes».
- *Réplica desintoxicante:* «¿Cómo definiría "lugar común"?»

Quien pregunta, manda

La réplica desintoxicante te saca de una posición de inferioridad. Dejas de ser el vencido para poner tus propias condiciones. Tu condición es la siguiente: explícame estas palabras. Con ello matas dos pájaros de un tiro:

- Tu interlocutor se ve obligado a razonar su comentario, con lo que le das la oportunidad de argumentar objetivamente.
- La réplica te hace ganar tiempo. Mientras el agresor intenta dar una explicación, puedes discurrir sobre lo que está pasando y cómo comportarte.
- No permites que te subyuguen. Se puede encauzar una conversación a través de preguntas. Quien pregunta, manda. La réplica desintoxicante impone el tema, porque el agresor ha de contestar tus preguntas.

La réplica desintoxicante

- *El objetivo:* Recoger la palabra que te hiere o te ofende. Interpelar al agresor sobre el significado de esa palabra.
- *El ataque:* «Vaya tontería más gorda que has hecho».

- *La réplica desintoxicante:* «¿Qué quieres decir con "tontería gorda"?»
  «¿A qué te refieres con...?» (añadir palabra envenenada).
  «¿Qué significa...?» (añadir palabra envenenada).
  «¿Cómo definirías...?» (añadir palabra envenenada).
  «Interesante. ¿Qué supone exactamente...?» (añadir palabra envenenada).
- *Consejos para su aplicación:* Utiliza la réplica desintoxicante cuando te critiquen de forma poco objetiva. De esta forma mantienes las palabras ofensivas a distancia y le das a la parte contraria la oportunidad de una argumentación objetiva.

Sin embargo, hay dos situaciones en las que es mejor prescindir de la réplica desintoxicante. Puede ocurrir que, durante una conferencia pública o en una mesa redonda, los agresores quieran llamar la atención con interrupciones envenenadas. Con ello pretenden ganar tiempo para su intervención y llamar la atención. Si tienes el turno de palabra es mejor no dar réplicas desintoxicantes, porque le darías la oportunidad a tu agresor de entrar en acción, con lo que podría consumir tu tiempo de intervención. En estas situaciones, pasa del agresor. Ataja el ataque con una sola frase, como por ejemplo: «Puede dar su opinión más tarde» o: «Permítame que termine». No hay que prestar atención a los provocadores. Las réplicas desintoxicantes tampoco funcionan con personas poco responsables de sus actos, como personas ebrias, en pleno ataque de ira o perturbadas por otros motivos. De ellas no se puede esperar una respuesta sensata a las réplicas. Por lo demás, la réplica desintoxicante es una buena estrategia de autodefensa contra palabras humillantes. Muchos de los asistentes a los seminarios no aceptan expresiones como «Tú eres imbécil», «No las tienes todas contigo» o «¡Qué te has creído!». Se han acostumbrado a cambiar enseguida de chip y decir: «No lo entiendo. ¿Qué quieres decir?». Incluso las personas que se quedan generalmente atónitas aprenden a manejar con soltura las réplicas desintoxicantes. No han de inventar una réplica apropiada, sino que simplemente han de preguntar por el sentido de las palabras.

El derecho a una crítica objetiva

La crítica es una observación útil e importante, que puede servirnos de ayuda, siempre y cuando sea aceptable y la podamos digerir. Una crítica constructiva y útil siempre hace referencia al rendimiento o al resultado. No denigra ni humilla a la persona. Se refiere a un hecho concreto y no recalienta los bollos de la semana pasada, siguiendo el lema: «Recuerdo que hace cuatro años también desarrollaste un proyecto aburrido, que encima tenía siete faltas de ortografía. Y, hace tres meses, llegaste tarde al trabajo». Este tipo de repaso general es difícilmente soportable para una persona puesta en la picota. El afectado adoptará forzosamente una postura de rechazo y no aceptará ni siquiera un comentario justo. Las críticas avasalladoras se originan cuando el crítico en cuestión ha acumulado durante demasiado tiempo sus resquemores. Por lo tanto, más vale expresar las objeciones mientras la situación esté candente. Pero también aquí es importante respetar ciertas normas: no se debe hacer una crítica de pasadas ni, mucho menos, ante los ojos y oídos de terceros. Una buena conversación crítica debe transcurrir de forma relajada y entre cuatro ojos. En mi libro *Die etwas gelassenere Art, sich durch zu setzen* (*Una forma más relajada de imponerse*) encontrarás consejos sobre cómo afrontar las críticas con más seguridad.

Es posible que tengas deseos de mostrarte con más dureza ante tu agresor. En el próximo capítulo leerás muchas sugerencias al respecto, porque tratará de estrategias de autodefensa verdaderamente despiadadas. Aprenderás a reducir al adversario dándole la razón, admirándolo y elogiándolo.

Paralizar al adversario con un abrazo

En caso de que realmente desees que tu adversario quede tocado, cede. Le cogerás a traspié, sobre todo si espera una reacción combativa, de oposición. El adversario cuenta con tu resistencia, incluso la necesita, porque, en el momento en que cedes, el ataque se diluye. Imagínate que el adversario te pone (con palabras) el puño bajo la nariz. ¿Qué hacer? En vez de presentar un frente con tu propio puño, le estrechas amablemente la mano y le felicitas por su punto de vista.

Ceder nos ahorra más de una pelea oral improductiva. El ejemplo de David es clarificador: con el nacimiento de su primer hijo, David decidió dedicarse en cuerpo y alma a su papel de padre. Trabajaba en la administración y pidió un puesto de media jornada para poder dedicar más tiempo a su bebé. Era, además, socio activo en un club de fútbol. Con la llegada al mundo de su hijo quiso reducir también las horas de entreno. Los compañeros futbolistas no se mostraron entusiasmados con la decisión de David y comenzaron a tomarle el pelo. «David está practicando porque el próximo hijo no lo tendrá su mujer, sino él mismo» o: «Dado que estarás en casa todas las noches, se supone que también querrás dar de mamar al bebé». Risas generalizadas. A David le afectó mucho este asunto. Al principio intentó dar explicaciones objetivas para convencer a sus amigos de la importancia del papel de padre y de su deseo de no perderse los primeros años de vida de su hijo. Las burlas, sin embargo, continuaban. David comenzó a enfadarse, lo que sirvió para echar todavía más leña al fuego. Sus compañeros ya no paraban. Cuanta más resistencia oponía David, más agresivos se volvían los ataques. Hasta que decidió cambiar su estrategia defensiva. Dejó de luchar, cedió y transigió con todos y cada uno de los agresores. Siempre solía contestar: «Tienes toda la razón». Y a veces añadía: «Con mucho gusto te doy la razón si de este modo te sientes algo mejor». Mantuvo su postura de forma consecuente. Poco a poco, los ataques amainaron. Sin la resistencia de David, el asunto ya no tenía interés.

Hacer perder el equilibrio al agresor

Muchas de las disciplinas asiáticas de combate deportivo se basan en la derrota del adversario mediante la transigencia. La

Un abrazo paraliza al adversario

fuerza del ataque no es repelida, sino que es acogida e incluso aumentada. De este modo, el agresor pierde el equilibrio y cae. Lo mismo ocurre en un combate oral. El consentimiento actúa como una pared de goma contra la que se dirige el agresor. Se mantiene suave, cede y se adapta. Los ataques se disuelven en el aire como un perfume en medio de un huracán.

Ceder y consentir

- *El objetivo:* El agresor lucha por tener razón. Transigir, darle la razón. Informarle de que se está dispuesto a ceder si con ello se le ayuda.
- *El ataque:* «¡Estás tocado del ala!»
- *El consentimiento:* «Si con ello te sientes mejor, te doy toda la razón».
  «Ciertamente, tienes razón».
  «¿Te sirve de algo si te doy la razón?».
  «Con mucho gusto, estoy de acuerdo contigo si ello te hace sentir mejor».
  «Sí, tienes toda la razón. ¿Te sientes mejor?».
  «Si te hace falta, estoy de acuerdo contigo».
- *Consejos para su aplicación:* Esta estrategia la puedes poner en práctica cuando estés harto de los ataques y de la prepotencia de los demás. Pero, cuidado, solamente dale la razón al contrario en los casos en los que no te perjudique.

Ceder e insistir

¿Qué actitud debemos adoptar, sin embargo, cuando el asunto por el que nos atacan es demasiado importante como para ceder sin más? Pongamos por caso que te encuentras en medio de un tira y afloja de una negociación y te comienzan a atacar. Es lo que le ocurrió a un matrimonio que participó en mis prácticas de negociación. Una acreditada empresa constructora se había hecho cargo de la construcción de su casa. A la entrega de las llaves se discutieron las deficiencias de construcción, que afortunadamente no eran graves, aparte de un tragaluz mal colocado. A pesar de que la conversación transcurrió tranquilamente, uno de los delegados de la empresa constructora empezó a volverse impertinente en el momento en que se tocó el tema del tragaluz. Comentó: «Los propietarios pequeño burgueses jamás están contentos. Siempre encuentran algún motivo para quejarse». El matrimonio simplemente podría haberse defendido de este ataque transigiendo, con un comentario como: «¡Tiene razón! Somos pequeño burgueses y nos encanta encontrar excusas para quejarnos». Sin embargo, ambos quisieron dar una respuesta algo más sólida. En estos casos, resulta muy útil aplicar una pequeña variante: ceder en parte y mantenerse firme en la defensa de la cuestión. Lo más fácil es despachar el asunto con dos frases. La primera sirve para confirmar el *punto de vista* del agresor.

Algunos ejemplos: «Puedo hacerme cargo de su postura», «Desde su punto de vista, puede que tenga razón» o «Tiene razón. En su lugar seguramente pensaría lo mismo».

La segunda frase sirve para defender empecinadamente *el asunto en cuestión*. La conversación podría desarrollarse de la siguiente manera:

- *El ataque:* «Los propietarios pequeño burgueses jamás están contentos. Siempre encuentran algún motivo para quejarse».

- *Aprobación y firmeza:* «Puede que usted lo vea de esta forma, pero se han equivocado en la colocación del tragaluz». Otra posibilidad: «Tiene razón, yo, en su lugar, también estaría molesto. Y la posición del tragaluz no coincide con los planos».

La primera frase confirma la opinión del contrario, sin que se le dé la razón del todo. Simplemente se le hace saber que se puede entender su punto de vista. Una pequeña y, sin embargo, importante diferencia. La conjugación «y» de la segunda frase sirve para expresar con perseverancia la cuestión en litigio. En resumidas cuentas, puedes entender todas las posturas y, además, quieres que se haga lo que tú desees.

El contrario se dará rápidamente cuenta de que sus ataques son ineficaces porque, en primer lugar, tienes una gran capacidad de comprensión y, en segundo, no te apartas del asunto en cuestión.

La aprobación con perseverancia

- *Objetivo:* Demostrar al agresor que se entiende su postura y mantenerse firme en los propósitos.
- *El ataque:* «No se lo piense tanto, tampoco debe de ser tan difícil decir simplemente sí».
- *Aprobación con perseverancia:* «Entiendo perfectamente que quiera una respuesta rápida. Y yo necesito otro día de reflexión».
  «Me hago cargo de tu postura, y yo ahora quiero...» (expones tu propósito).
  «Supongo que en su lugar reaccionaría igual. Y se trata de...» (vuelve a insistir en el asunto).

«En tu lugar diría lo mismo. Y seguimos teniendo el problema de...» (vuelves al grano).

- *Consejos para su aplicación:* Recurre a esta técnica de consentimiento y perseverancia siempre y cuando tengas una conversación o negociación importante. Neutraliza el ataque con una actitud comprensiva y después insiste en tu propósito.

Hacer jaque mate al adversario: admíralo

Ceder y mostrar comprensión son estrategias de autodefensa bastante duras, pero las hay todavía más radicales: el cumplido. Resulta especialmente eficaz en las personas que intentan darse aires de superioridad y que suelen tratar a los demás con desdén. Son personas a las que se tiende a tachar de arrogantes; sin embargo, detrás de la fachada arrogante suele esconderse un complejo de inferioridad. Los aires de arrogancia pretenden disimular el complejo de inferioridad. En la vida cotidiana, los arrogantes pueden sacarnos de quicio. Sus gestos de superioridad pueden resaltar nuestro propio punto débil, que es precisamente el miedo a ser inferiores. Por lo tanto y de forma automática comenzamos a adoptar una actitud defensiva para proteger nuestra integridad, por lo que es muy fácil que las personas arrogantes nos involucren en una pelea antes de que nos demos cuenta. Jamás se nos ocurriría elogiarlos, alabarlos o reafirmarlos. Pero es aquí donde incide esta estrategia. Desequilibrarás al contrario si justamente le das lo que fervientemente desea: la superioridad, pero se la servirás de forma desmesurada.

El cumplido

- *El objetivo:* Declarar a tu adversario el jaque mate, simplemente admirándolo y elogiándolo, como, por ejemplo:

- *El ataque:* «Si eres tan hipersensible, jamás llegarás a tener éxito».
- *El cumplido:* «Admiro tus conocimientos y tu sabiduría».
  «Me gusta la forma con que enlazas una palabra con otra».
  «Me has impresionado profundamente».
  «Gracias por esta ayuda existencial».
  «Eres inconmensurablemente superior a mí».
  «Gracias por tus consejos maravillosos».
- *Consejos para su aplicación:* Cuanto más exageres con tus elogios, más eficiente será la estrategia. También puedes ser más comedido y decir: «Es que sabes más que yo» o reaccionar de forma irónica y colocar al adversario en un pedestal: «Eres inconmensurablemente superior a mí».

¿Crees que el adversario se dará cuenta de que le estás poniendo en ridículo? Es probable. Pero a pesar de todo se encontrará en una situación falsa. Si reconoces con toda seriedad sus méritos no sabrá cómo comportarse, dado que su aspiración era colocarse en un plano superior. En cambio, si dejas vía libre a tu ironía y sarcasmo verá claramente que le estás tomando el pelo. En caso de que consideres que este proceder es demasiado cruel, aplícalo hasta ciertos límites. Elógialo sólo hasta que comience a irritarse ligeramente. Esta táctica es recomendable si tras el primer enfrentamiento aún pretendes mantener una conversación razonable.

Los próximos capítulos girarán en torno al arte en mayúsculas de la autodefensa, algo parecido al cinturón negro. Al principio aprenderás a reflejar la imagen del adversario como un espejo.

El cinturón negro

> *La persona que ejerce un arte marcial, después de superar el largo y dificultoso camino que lleva a la maestría, se encuentra interior y exteriormente libre y es capaz de detectar un ataque que perturba su paz incluso antes de que se produzca. Para impedir el desencadenamiento del ataque —antes de que se realice físicamente— es suficiente recurrir a un remedio contundente y comedido.*
>
> ANDRÉ PROTIN

No tomarlo como un ataque personal

Nadie más que tú mismo decidirá si un ataque da en el blanco o no. El agresor puede lanzarte un comentario insolente, pero no podrá elegir la forma en que será acogido. Es como si alguien te ofreciera un zapato viejo y maloliente. Tendrás la opción de probártelo o no. Si el ataque ha cumplido su objetivo, te lo habrás puesto. En realidad, todos somos invencibles, porque somos capaces de dejar de lado cualquier zapato apestoso. Podemos procurar que un ataque no nos afecte. Con ello hemos llegado al grado máximo en el arte de la autodefensa. Es comparable al cinturón negro, a la capacidad de mantener un ataque a distancia. Quisiera iniciaros en una técnica especialmente efectiva que permite congelar el ataque en su origen.

El problema lo tiene el agresor

Esta técnica de autodefensa se basa en un hecho muy simple: nadie puede comunicarse sin revelar algo de sí mismo. Al margen de las palabras, del contenido del mensaje, siempre descubrirás una parte de la forma de ser del que habla. Todo aquel que transmite algo revela una parte de su personalidad, sin poder remediarlo. Si ahora estuviésemos hablando, descubriríais, independientemente de mis lecciones, una parte de mi personalidad. Sobre todo os daríais cuenta de mi estado de ánimo, de si estoy tranquila y relajada o más bien tensa, si estoy estresada o sosegada. Tomaríais nota mientras yo pudiera estar contándoos algo sobre cómo escribir un libro. No puedo evitar descubrir una parte de mi propio ser. En el momento en que se establece una conversación, el interlocutor nos transmite también su estado de ánimo. Por supuesto que ello también es válido para los agresores, que no pueden impedir revelar algo de ellos mismos. De ahí podemos deducir una técnica de autodefensa muy eficaz. Si intentas impedir que el ataque te afecte personalmente, aprende a escuchar al agresor de una forma diferente a la usual. No te concentres en las palabras, sino en lo que el agresor necesariamente revela sobre sí mismo. Concéntrate en su estado de ánimo. ¿Qué es lo que transmite? Un ejemplo práctico: Alguien, fuera de sí, te suelta: «¡Eres un imbécil integral!». Un ataque en toda regla. Te encuentras, sin comerlo ni beberlo, con un zapato maloliente ante tus narices. Convencido de no ser un imbécil integral, no te pondrás el zapato apestoso. No hace falta discutir sobre hechos consumados, es más útil fijarse en lo que revela el agresor sobre sí mismo. Ha mostrado que está enfadado. La respuesta a su exabrupto es sencilla y poco espectacular. Le pones un espejo delante y le informas objetivamente sobre su propio estado de ánimo. Por ejemplo:

- *El ataque:* «Eres un imbécil integral».
- *La respuesta:* «¡Ahora sí que estás enfadado!». Punto. Es suficiente.

La respuesta es una constatación objetiva. Se refiere al estado de ánimo del agresor, no a sus palabras. Tu constatación objetiva, que consiste en la observación —«¡Ahora sí que estás enfadado!»—, demuestra que has tomado nota del enfado del agresor y que achacas sus palabras a dicho enfado. No tiene nada que ver contigo. Estás de vuelta de ello, porque congelas el enfado en el lugar donde se ha originado: en el agresor. Con esta actitud demuestras claramente que el ataque no va contigo.

Es muy sencillo hacer una constatación objetiva. Los médicos se dedican a ello, porque un diagnóstico no es otra cosa que una constatación objetiva. Se informa al paciente de lo que le pasa: «Tiene una infección gripal» o: «Los dolores provienen de una uña clavada en la carne». Puedes hacer el mismo diagnóstico impersonal y objetivo con tu agresor. Simplemente constatas lo que le pasa. Un pequeño diagnóstico y punto. En la práctica podría sonar de la forma siguiente:

- *El ataque:* «¡Estás de broma!».
- *La constatación objetiva:* «No opinas lo mismo que yo» o: «Tenemos opiniones diferentes».

- *El ataque:* «¡No las tienes todas contigo!».
- *La constatación objetiva:* «Estás demasiado enfadado en este momento» o: «Estás muy excitado».

- *El ataque:* «Parece mentira. ¡¿Cómo te atreves a arreglarte de esta forma a tu edad?! Pareces una abuela que añora su pubertad».
- *La constatación objetiva:* «No te gusta cómo me he arreglado», o «Nuestros gustos no coinciden».

Solamente puedes hacer constataciones objetivas si cambias de chip y logras pasar del sentido literal de las palabras. Tampoco te preocupa la forma en que te está tratando el agresor. Únicamente te fijas en lo que le pasa al otro.

Escucharle de forma distinta a la acostumbrada te facilitará la labor.

- Procura mantener un estado de ánimo impersonal, neutral. Levanta tu escudo protector interior.
- Concéntrate en las emociones del contrario, no en el sentido literal de sus palabras.
- Proyecta la imagen del contrario como un espejo y dile de manera objetiva e imparcial lo que le pasa.
- La constatación objetiva comienza con la palabra «usted» («usted está muy indignado»), o con la palabra «tú» («tú estás muy enfadado», «tú no opinas lo mismo que yo»).
- No des más explicaciones ni consejos.

La constatación objetiva actúa como un espejo en el que se mira el agresor.

No implicarse en las emociones del contrario

Procura no hurgar demasiado en las emociones del contrario. Y, sobre todo, no le sometas a un psicoanálisis del tipo: «En el fondo, lo que te pasa es que no acabas de interiorizar la relación con tu madre y por eso intentas inconscientemente superar este trauma conmigo». A esto se le denomina un mazazo psicológico. La constatación objetiva suele ser breve y hace referencia a características obvias, como el enfado, la excitación, el escepticismo del contrario, su rechazo, etcétera. No intentes manipular al agresor con la constatación objetiva. No se trata de hacer entrar en razón al agresor, ni de someterle a un examen de conciencia, ni de curarlo ni de intentar que tenga una revelación. Dado que no te tomas la agresión como un ataque personal, no contribuyas a envenenar todavía más la situación con un comentario ofensivo, como por ejemplo: «Eres un pijo estúpido». Aunque te parezca haber calado al contrario, palabras como «pijo» y «estúpido» resultan ofensivas. Si contraatacas de forma venenosa, demuestras que te has puesto el zapato y que te estás defendiendo. La constatación objetiva mantiene la distancia entre la opinión del contrario y la tuya y congela el enfado allí donde se ha originado, es decir, en el contrario. Simplemente infórmale, de forma breve y neutral, que has constatado su malestar. Mantén la calma, no te impliques en las emociones del contrario. Acuérdate: no podrás transformar al agresor. Tu estado de ánimo, en cambio, puede contagiarlo. Tu actitud relajada actuará como un efecto reflejo.

La constatación objetiva

- *El objetivo:* Mantener la calma y no tomarse el ataque de forma personal. Concentrarse en el estado de ánimo del contrario y corroborarlo de forma breve y neutral.

- *El ataque:* «Acaba de cometer la mayor tontería que jamás se ha visto».
- *La constatación objetiva:* «Mi trabajo no le gusta» o: «Esperaba algo distinto».

- *El ataque:* «No esperaba de ti una propuesta tan estúpida».
- *La constatación objetiva:* «Te muestras todavía escéptico» o: «No te acaba de gustar mi propuesta».

- *El ataque:* «¡Imbécil!».
- *La constatación objetiva:* «¡Ahora sí que estás enfadado!».
- *Aplicaciones en la vida diaria:* Resulta muy útil emplear la constatación objetiva siempre y cuando se quiera mantener a distancia la acusación o condena del agresor. Es especialmente efectiva para rebatir críticas poco objetivas, reproches y reparos.

Buscar la objetividad

La constatación objetiva neutraliza a los compañeros fastidiosos y las críticas tendenciosas. El agresor se prepara para embestirte con todas sus fuerzas, pero le frenarás en seco al obligarle a mirarse en un espejo.

Si no prestas atención al sentido literal de las palabras, el agresor se dará rápidamente cuenta de que eres imbatible. Por regla general, habrás puesto punto final a los ataques y podrás intentar mantener una conversación normal con el contrario. Mi consejo es emplear esta técnica de autodefensa siempre y cuando se tenga mucho interés en proseguir una conversación objetiva, como puede ser una negociación. Con frecuencia me piden consejo sobre cómo hacer frente a la arbitrariedad de una de las partes negociadoras. Si nos dejamos llevar al terreno de las provocaciones existe el peligro de una desviación total del tema. Ignorar los comentarios inoportunos es una buena táctica para poner coto a las objeciones poco objetivas durante una negociación. Otra posibilidad es la constatación objetiva. A continuación presentaremos un caso surgido a lo largo de las prácticas de negociación: una de las dificultades que se suelen encontrar con relativa frecuencia a lo largo de una negociación es que una de las partes comience a apartarse del tema y personalice. Podría ser, en estos casos, que el interlocutor dijera de repente: «¡Se ha puesto muy rojo! Todo esto le debe de resultar muy embarazoso, ¿o es que está mintiendo?». Esta objeción puede hacer peligrar toda la negociación, porque podría ser que el interpelado se pusiera realmente rojo y perdiera el hilo o se volviera agresivo y contestara: «¿Qué es lo que pretende? Mi aspecto no le importa en absoluto. Supongo que no es nada más que una maniobra de distracción». Esta respuesta daría alas al agresor, porque su provocación habría dado fruto. El tema clave de la negociación ha quedado marginado y la atención se centra ahora en un escenario secundario, propenso para las peleas.

En estos casos, la mejor solución y la menos agotadora es la constatación objetiva. Un diagnóstico breve y neutral, y vuelta al tema que importa. Una situación de este tipo podría desarrollarse de la siguiente manera:

- *El agresor:* «¡Se ha puesto muy rojo! Todo esto le debe de resultar muy embarazoso, ¿o es que está mintiendo?».
- *La constatación objetiva sería:* «Está pensando en el tono de piel de mi rostro». Con eso es suficiente. La próxima frase

vuelve a enlazar con el tema principal de la negociación: «Me gustaría volver a explicar el punto clave de mi propuesta. Sobre todo hay tres puntos que considero importantes. Primero...».

Continúa la negociación sin que el ataque haya logrado su objetivo. Nada de discusiones en torno al color de la tez. Nada de escenarios alternativos. Nada de disquisiciones subjetivas. En caso de que el agresor no cese con sus comentarios inoportunos, sólo queda una salida: mantenerse obstinadamente objetivo. No obstante, después de varios comentarios insolentes no estaría de más hablar sobre el curso que ha tomado la conversación y volver a fijar las reglas del juego. Lo explicaremos más detalladamente en el capítulo «Hablar claro», página 89.

La constatación objetiva es un buen complemento al escudo protector del que hablamos en los primeros capítulos. Siempre que se disponga de un buen escudo se pueden observar las rarezas de los demás con indiferencia, sin tomárselo de forma personal. La constatación objetiva ayuda a mantener la distancia. No permitas que te ataña el estado de ánimo de los demás. Mostrarse abierto y comprensivo es una gran cualidad en cualquier conversación. Sin embargo, si nuestro interlocutor comienza a ser ofensivo y agresivo es hora de desconectar.

Atajar las ofensas

Capear una ofensa de forma inteligente pertenece, sin duda, al máximo arte de la autodefensa. En primer lugar, porque las ofensas son una de las formas de ataque más agresivas. Es el arma de las conversaciones, porque quien ofende, humilla. En segundo lugar, porque la mayoría de las personas, antes de darse cuenta, se deja arrastrar al terreno del agresor, donde se revuelve en el fango verbal del contrario. En este capítulo te enseñaremos cómo defenderte de una forma más inteligente. En vez de rebajarte al nivel del agresor, te colocarás a un nivel superior. Esta técnica sólo funciona si te impones con autoridad, soberbiamente.

Cambiar radicalmente el comportamiento

¿Cómo puedes reaccionar ante una humillación? Demuéstrale al agresor que ha sobrepasado los límites. Ampárate detrás del escudo protector y adopta una actitud severa. Cambia radicalmente tu comportamiento. Modifica el tono de voz y el ritmo. Habla más despacio y más enérgico. Tu autoridad será decisiva para mantener al agresor a raya. Enfréntate a él. Las palabras sirven para interrumpir al otro y para poner en evidencia su comportamiento. Llama las cosas por su nombre. Di, con un tono severo: «Usted me ha ofendido» o: «Este comentario me ha ofendido». No te dejes enredar en una discusión en caso de que te hayan ofendido ni reacciones de forma hipersensible. No es momento para discusiones. Para demostrarte todavía más duro, exige una disculpa, como por ejemplo: «Espero una disculpa» o: «Quiero que te disculpes». Con ello no se pretende forzar una disculpa (aunque sería mejor que el agresor lo hiciera), sino que simplemente es un truco para aumentar la tensión de la situación. Ponle en una situación incómoda. Conteste lo que conteste el agresor, insiste en tu exigencia: «Me has ofendido. Espero una disculpa». Pónselo difícil.

La confrontación

- *El objetivo:* Subrayar la ofensa cometida, confrontar al agresor con ella y exigir una disculpa.

- *El ataque:* «Conecta tu cerebro antes de abrir la boca».
- *La confrontación:* «Este comentario me ha ofendido y, por lo tanto, espero una disculpa».
  «Estas palabras (repite lo que ha dicho tu interlocutor) me han ofendido. Espero una disculpa».
  «¡Esto es un insulto! Deje de hacer este tipo de comentarios».
  «Me has ofendido profundamente, espero que te disculpes».
  «No quisiera proseguir por este camino. Deje de ofenderme».
- *Consejos para su aplicación:* Modifica tu comportamiento. Haz gala de tu autoridad y muéstrate severo/a. No importa tanto la respuesta del agresor como el hecho de dejar muy claro que el trato recibido es inadmisible.

Imponerse con autoridad

El factor decisivo de esta técnica de autodefensa es tu propia fuerza. No impresionarás al agresor con palabras, sino con tu presencia, tu autoridad. No sólo tendrás que imponer tu autoridad al cien por cien, sino al doscientos por cien. Siempre tendrás que superar al agresor en autoridad y fuerza.

- Rodéate de un escudo protector especialmente impermeable.
- Prepárate interiormente para ser capaz de condenar al agresor. Tu mirada ha de ser severa y dura.
- Estírate para que parezcas más alto y ancho. Inspira y expira hondamente. No te quedes sin aire.
- Enfréntate al agresor con una expresión de tipo duro, sin

mover un músculo de la cara, de forma que tu mirada exprese tu desaprobación.
- Sé parco en palabras, no importa que te repitas y, sobre todo, no te dejes enredar en una discusión.

Durante los seminarios solemos practicar mucho este tipo de enfrentamiento serio y duro. A muchos les cuesta al principio desplegar este tipo de energía vigorosa. Me he encontrado con alumnos que sólo han sabido hacer valer toda su autoridad cuando estaban llenos de rabia. Pero esta explosión de ira se produce de forma descontrolada, mientras que es muy importante emplear la energía de forma dirigida y controlada, sin perder los estribos. Un ejemplo práctico:

Ingrid me contó en una ocasión que había cometido un error en su trabajo y que su jefe reaccionó dejándola por los suelos. Le dijo que tenía un «cerebro de pajarito» e Ingrid no supo defenderse ante él. Un asunto complicado. Por una parte no estaba dispuesta a permitir que la humillaran, pero por otra había cometido un fallo, lo que provocó que Ingrid perdiera parte de su autoridad. En su fuero interno se encontraba insegura y adoptó una actitud de «no valgo para nada» y «yo soy la culpable». Para su jefe se convirtió en una estera en la que podía restregar sus frustraciones. Ingrid necesitaba recuperar su autoridad para poder defenderse. Aprendió a reconocer sus errores sin volverse sumisa ni sentirse inferior y a exigir a su jefe ser tratada con respeto, aunque cometiera algún error. En un juego de rol practicó el empleo de su autoridad para defenderse de las ofensas de su jefe. El papel del jefe (agresor) fue interpretado por otro alumno.

El agresor: «No se ha lucido precisamente con este trabajo. ¿En qué habrá estado pensando? Si es que todavía piensa. Puede que en su cerebro de pajarito no haya sitio para el pensamiento».

Ingrid: «Tiene razón, he cometido un error. Pero no acabo de entender qué es lo que quiere decir con cerebro de pajarito» (réplica desintoxicante).

Agresor: «No quiera parecer todavía más tonta de lo que ya es. Sabe perfectamente de lo que estoy hablando».

Ingrid se sentó con la espalda muy recta y adoptó un tono severo: «Me está ofendiendo».

Agresor: «Ahora, encima, se vuelve hipersensible. Primero no cumple y después exige que la traten con delicadeza».

Ingrid: «Me está ofendiendo y espero que se disculpe».

El agresor empieza a incomodarse. «A ver si comienza a bajar del pedestal. Tantas exigencias y, al fin y al cabo, soy yo el que tiene que dar la cara».

Ingrid prosigue con calma: «Reconozco que he cometido un error, pero ello no le da derecho a ofenderme. Espero una disculpa».

El agresor, todavía más nervioso, contesta: «¿Se ha vuelto loca? ¿Usted es la que comete errores y yo debo disculparme?».

Ingrid vuelve a hablar en un tono severo: «Usted me ha ofendido y exijo una disculpa».

El agresor comienza a elevar el tono de voz: «¡Sólo faltaría que usted me dictara órdenes! Supongo que está permitido irritarse cuando las cosas no salen como uno espera».

Ingrid se levanta y contesta con autoridad: «Acepto las críticas objetivas, pero no tiene derecho a ofenderme. No se lo voy a dejar pasar».

Ambos callan.

El agresor se levanta y dice: «Bueno, ejem, está bien. Es que me ha sacado de quicio. Bueno, ahora ambos hemos dicho lo que pensamos. Volvamos al trabajo».

Ingrid se levanta y se va.

No hubo final feliz, lo cual es bastante realista. El jefe intentó salvar la cara y puso punto final a la conversación. Lo más importante es que Ingrid supo desprenderse de su papel de humillada y poner coto a las ofensas de su superior, sin que adoptara ella misma una actitud despectiva o humillante. Para poder mostrar dicho comportamiento, Ingrid tuvo que superar el miedo a mostrarse autoritaria. Durante las prácticas estudiamos los pros y los contras en caso de un enfrentamiento con su jefe. ¿Qué arriesgaba Ingrid? ¿Qué consecuencias acarrearía que se defendiera? ¿Qué efectos negativos le produciría no defenderse y tragarse las humillaciones? El miedo ante la autoridad a menudo nos relega a una posición de niño pequeño y débil. Inconscientemente nos sentimos desamparados ante los grandes y poderosos, que nos tienen en sus manos y nos pegan una paliza si osamos defendernos. Sólo un análisis frío y concienzudo de nuestro entorno laboral nos puede liberar. No somos pequeños, ni mucho menos débiles. El superior con el que tratamos se encuentra bajo presión y tiene que dar cuenta, por su parte, a otros superiores. No hay fallos, ni equivocaciones, ni críticas razonables que justifiquen ofender a un colaborador. Con un contrato laboral vendemos nuestra capacidad de trabajo, no nuestra dignidad. Según experiencias propias son solamente los dirigentes débiles quienes recurren a las ofensas. Y con débil quiero decir que les faltan pautas en las relaciones sociales. Pueden ser expertos en su materia, pero en la relación humana y en cuestión de sentimientos resultan perfectos analfabetos. Si este tipo de dirigente débil se ve rodeado de mojigatos y gente «sí señor» no tiene la repercusión necesaria para detectar cuándo se pasa de la raya y, por lo tanto, el trato humillante comienza a ser habitual. Por otro lado, el descontento de los empleados aumenta y la moral experimenta un bajón. Si en estos momentos el dirigente se impone con su comportamiento habitual, la espiral continúa girando en línea descendiente.

Parar los pies a los agresores impertinentes

Nosotros enseñamos al prójimo hasta dónde puede llegar y dónde están los límites. Si no atajamos las ofensas en el acto, el agresor podría interpretar que su comportamiento es correcto y le podríamos dar pie a que vuelva a insultarnos. Por eso, atajar las ofensas debería ser una pauta que habría que cumplir a rajatabla. No estamos dispuestos ya a entablar una conversación. No se trata de reeducar al agresor ni de someterlo a un tratamiento. El hecho de enfrentarnos a él es señal de que no nos prestamos a este tipo de ataque oral. Trazamos, por nuestro bien, los límites de forma inequívoca. Sé consecuente. Algún que otro agresor se comporta como un niño que intenta encontrar un subterfugio para transgredir las normas. Pero has de ser duro: en este punto, cuando se trata de ofensas, no hay discusión posible. Solamente si te mantienes firme puedes evitar más ofensas.

Desconectar

En contadas situaciones es más aconsejable ignorar una ofensa. Por ejemplo, si el agresor es psíquicamente discapacitado o si está en estado ebrio. Para que el enfrentamiento cumpla su objetivo, el contrario tiene que ser mínimamente responsable de sus actos. Esta excepción también es aplicable a las personas propensas a los ataques coléricos, durante los que pierden el mundo de vista. Durante este tipo de ataques es inútil hablar con ellos. En estos casos, es mejor esperar (y posiblemente ponerse a salvo) hasta que se hayan tranquilizado. No hace falta que muestres comprensión con personas que pierden los estribos, menos aún si te atacan o te ofenden. Si a menudo eres una víctima de personas con ataques de cólera busca la solución más adecuada y segura para ti. Lo mismo vale para los agresores borrachos o drogados. Desconecta. Interrumpe la conversación. Abandona la estancia. Es imposible establecer una comunicación racional con personas poco cuerdas.

Superar el trauma

Puede ocurrir que una ofensa nos trastorne tanto que suframos una especie de shock, como puede suceder después de un ataque físico. El primer signo de alarma de un estado de shock es sufrir confusión. Nos sentimos desorientados, confusos y perdemos el hilo al hablar. Por lo tanto, no te hagas reproches. Si después del ataque eres capaz de hablar, perfecto. Intenta torear el asunto. Si no te ves con fuerzas para continuar, quédate mudo. No te obligues a contestar, a torturarte más todavía. Con la tortura del agresor tienes más que suficiente. Procura recobrarte. Abandona la estancia, aléjate del agresor. Nadie te puede obligar a permanecer con alguien que te trata mal. Respira hondo y descansa hasta que te encuentres mejor.

Una vez ha pasado todo, solemos dar vueltas al mismo asunto una y otra vez. Rebobinamos continuamente la película de terror. Y cada vez se vuelve a abrir la herida. Nos alteramos, nos estresamos y nos sentimos fatal. Mediante nuestros pensamientos concéntricos intentamos encontrar una solución.

No obstante, si tus cavilaciones no sirven para cambiar la situación, despréndete de la espiral de pensamientos concéntricos:

- Habla sobre el incidente con otra persona. No le expliques solamente los hechos, sino transmítele también tus sentimientos. Las impresiones fuertes necesitan ser expresadas. Poder compartir el dolor es un alivio.
- Apunta con todos los detalles lo que ha pasado y cómo te has sentido. Deja constancia por escrito de tu disgusto, plasma tus pensamientos sobre papel. Te despejará, porque ya no tendrás que repasar mentalmente un asunto que ya tienes por escrito.
- Recréate en el dolor, acuérdate de aquello que te hizo daño. El dolor incentiva los pensamientos concéntricos. Concédete ser vulnerable, sensible, triste o desesperado, porque te ayudará a curar la herida.
- Muévete hasta que empieces a sudar: baila, corre, sube escaleras... Es un buen remedio para combatir el estrés.
- Reflexiona sobre las consecuencias. ¿Tendrás que cambiar algo de tu comportamiento para evitar sufrir nuevamente una ofensa? ¿Qué aspecto has de cambiar? ¿Cómo puedes prevenir una ofensa? Concibe algunos planes para el futuro.

Disfrutar de la vida, la mejor de las venganzas

Para terminar, algunas consideraciones en torno a la venganza. Dado que las ofensas pueden ser tan dolorosas como un ataque físico, podemos estar tentados a vengarnos. La venganza es el anhelo del alma por tener una compensación. Evita, no obstante, que tus ansias de venganza te impulsen a obrar en perjuicio propio. He conocido a personas que no han logrado vencer sus deseos de venganza y los han llevado a cabo. A la mayoría le resultó, posteriormente, muy penoso. Algunos incluso tuvieron problemas con la justicia. La venganza nunca es aconsejable, porque al vengarte atas tus fuerzas a las del agresor, la última persona a la que deberías regalar tus energías. Necesitas la fuerza que desata la ira para ti mismo, porque la ira es la energía que te capacita para liberarte de una relación humillante. El enfado, como todos los demás sentimientos, ha de utilizarse de forma constructiva para que la fuerza desencadenada pueda ser utilizada en el provecho de uno mismo. Arremángate y organízate la vida de forma que sea más agradable. Procura tu bienestar (y no la del agresor).

Hablar claro

Contestar a un comentario impertinente puede ser una pérdida de tiempo, sobre todo si se produce dentro del contexto de un asunto importante. Por ejemplo, intentas discutir sobre la construcción de tu casa, la creación de una empresa, estás hablando sobre tener un hijo o quieres salvar al mundo y, sin embargo, tu interlocutor no hace más que provocarte y desalentarte. ¿Qué significa eso? ¿Por qué se comporta tu interlocutor de esta forma tan poco cordial? Estas preguntas te llevan directamente al grano. Prescinde de las hábiles respuestas de autodefensa. Nada de soltar lacónicamente: «¡qué me dices!». Ahórrate contestar con un refrán equívoco. Habla claro, cambia inmediatamente el rumbo de la conversación. En vez de contraponer un comentario a otro, describe la situación. Refiérete al trato que se te está dispensando.

Por ejemplo, en medio de una negociación importante, tu interlocutor dice de repente: «Este tipo de propuestas me llevan a dudar seriamente de su inteligencia». Ahí queda eso. Podrías optar por emplear una de las diversas técnicas de autodefensa, como ignorar el ataque y seguir exponiendo la propuesta. Eso significaría no tomar en cuenta al agresor. O podrías soltar una constatación objetiva: «No le gusta mi propuesta, ¿por qué?». Sin embargo, si crees que existe la posibilidad de que la conversación derive hacia comentarios poco objetivos y que el interlocutor tiene previsto soltar algunos ataques más, no dudes en hablar claro. No contestes directamente al ataque, sino dedícate a exponer el comportamiento del interlocutor. Podrías decir, por ejemplo: «Me está atacando personalmente» o: «Su comentario ha sido muy poco objetivo». Ahora le toca el turno al interlocutor. ¿Cómo reaccionará? Posiblemente intentará salvar la cara y salirse por la tangente: «No negará que su propuesta ha sido muy poco trabajada...». Déjale esta salida al agresor, porque no pretendes acabar con él, sino simplemente continuar la negociación. Le has mostrado el cartel de «prohibido el paso», y con eso es suficiente. No te enredes en discusiones sobre si el ataque ha sido poco objetivo o no. Vuelve a retomar el hilo de la conversación.

Calar al agresor

Hay personas que tienden a discutir con cierta mordacidad, sobre todo si les faltan argumentos. Suelen interrumpir constantemente la conversación, elevan el tono de voz e intentan envenenar el ambiente con pequeños comentarios ofensivos.

Contestar a estas personas con una réplica maliciosa es ponerse fuera de fuego, porque daría pie al agresor de poca sustancia a erigirse en un apóstol de la moral. Comenzaría a denunciar públicamente la falta de objetividad del que ha seguido su juego. Primero provoca, da la culpa al otro y, al final, ambos terminan discutiendo sobre quién ha comenzado. La negociación está en peligro y el agresor ha logrado disimular su falta de argumentos. En vez de echar a perder todo, puedes hacer del comportamiento de tu interlocutor el tema de la conversación: «Seamos objetivos. ¿Qué es exactamente lo que no le gusta de mi propuesta?» o: «Este tipo de comentarios no lleva a ninguna parte. Centrémonos en el quid de la cuestión». Con ello vuelves a encauzar la conversación.

¿Qué pasa, sin embargo, si el interlocutor no tiene ni la más mínima intención de cambiar su comportamiento? Averigua si el interlocutor tiene una intención real de hablar contigo. Un sabotaje continuo puede significar que el interlocutor ha dado por zanjada la conversación y que simplemente se dedica a jugar al gato y al ratón. No especules demasiado en torno a esta posibilidad. Lo mejor es que le preguntes directamente si tiene intención de hablar contigo o no. Si la respuesta es afirmativa, es hora de que lleves las riendas de la conversación. Suelta una declaración de principios, como por ejemplo: «Considero muy importante llegar a una conclusión. Con sus ataques personales se hace muy difícil seguir el curso de la conversación. Le rogaría encarecidamente ser más objetivo». Habla con autoridad. Tu conducta decidida, más que tus palabras, obrarán efecto.

Muchas maquinaciones se evaporan en el momento en que salen a la luz, en que son desenmascaradas. Peligro advertido, peligro conjurado. La condición es que seamos conscientes del curso que está tomando la conversación y tengamos la capacidad de decidir lo que más nos convenga. Interrumpe la conversación en el momento en que adviertes un comportamiento extraño en el interlocutor. Convierte la conversación en el tema de la conversación.

Hablar claro

- *El objetivo:* Indicar brevemente lo que ha ofendido o ha molestado.
- *El ataque:* «Supongo que eso excede su capacidad de comprensión».
- *Hablar claro:* «Este comentario es una ofensa personal».
  «Lo que acaba de decir suena a un ataque personal».
  «Acaba de decir... (repite su comentario humillante), lo cual me ofende».
  «Lo que acaba de decir me ofende».
  «Tu comentario... (repite el comentario) es una provocación».
  «Este tipo de comentarios únicamente contribuye a crear un clima de violencia».
- *Consejos para su aplicación:* No cites frases hechas ni hagas provocaciones cuando se trata de un asunto importante. Si las cosas se tuercen, abandona el curso de la conversación y pon en evidencia el comportamiento del interlocutor.

Estudia la reacción del contrario ante tu comentario. ¿Intenta volver a ser objetivo? En caso afirmativo, el asunto ha quedado liquidado. A veces vale la pena incidir en el tema para volver a recordar las «reglas de juego» en el trato personal. Expón con claridad tu idea sobre el contenido de la conversación.

Definir las reglas de juego

- *El objetivo:* Proponer al interlocutor un trato más cordial.
- *El ataque:* «Es realmente penosa tu forma de pensar».
- *Definir las reglas de juego:* «Quisiera discutir este punto con toda tranquilidad. Por favor, no sigas provocando».
  «Por favor, seamos objetivos».
  «No nos desviemos del tema de la conversación. Propongo...».
  «Me gustaría discutir este tema de forma breve y precisa, sin ataques personales. ¿Podemos llegar a este acuerdo?».
  «Es la segunda vez que me interrumpe, déjeme acabar, por favor».
- *Consejos para su aplicación:* Si los ataques personales llegan a sabotear la conversación, es conveniente encauzarla hacia temas más constructivos, sobre todo si se pretende mantener una buena relación a posteriori.

Los comentarios insolentes son como arena en un engranaje. En vez de seguir echando arena, es mejor preguntarse cómo se ha llegado hasta ese punto. Este principio es sobre todo aplicable al trato con las personas que nos importan. Las provocaciones continuas indican una degeneración de la relación e incluso las buenas relaciones necesitan, de vez en cuando, ser regeneradas.

Esclarecer los conflictos

Los comentarios venenosos suelen ser la expresión indirecta de la disconformidad. Provocaciones hechas por la espalda y a traición, comentarios irónicos dichos de pasada y, como quien no quiere la cosa, alguna que otra calumnia. Este tipo de ataques soterrados es una señal de que algo va mal. Es hora de aclarar las cosas, de poner el problema sobre la mesa. Sin embargo, se necesita cierto grado de coraje para una conversación esclarecedora, hay que ser valiente para exponer aquello que se ha estado incubando durante tiempo. Nadie conoce el desenlace y, además, podría ocurrir que salieran a la luz aspectos embarazosos o dolorosos. Por eso, primero se suele tragar. Los pequeños acosos y los comentarios al margen suelen ser señal de que el buche está lleno. Se palpa tensión, el ambiente está cargado.

Mucha gente prefiere soportar el ambiente cargado porque teme aclarar el asunto. Relacionan la conversación esclarecedora con los sermones de su infancia, cuando padres o profesores aprovechaban la ocasión para «despacharse». Tras la riña y el restablecimiento de la autoridad seguía el castigo. Inconscientemente se relaciona este tipo de recuerdos con las conversaciones esclarecedoras, sinónimo, por lo tanto, de escarmiento y castigo. Se señala a los culpables, al igual que en un proceso judicial. Sin embargo, una buena conversación esclarecedora dista a años luz de este tipo de sermones. A nadie se le da su merecido, nadie es castigado. Como su mismo nombre indica, conversación esclarecedora significa aclarar las cosas. Ni siquiera se trata, en primer término, de encontrar una solución al problema o de restablecer la paz, aunque sería lo deseable. El objetivo de una conversación esclarecedora es sacar a la luz el malestar latente. Es como si se volvieran transparentes las aguas turbias y revueltas de un lago y pudiéramos identificar lo que yace en el fondo. Sin esta percepción no existe una solución adecuada al problema. Pero, ¿cómo se puede arrancar una conversación esclarecedora en medio de un ambiente cargado y cuando todos están a la defensiva? A continuación, cito unos cuantos consejos que pueden serte útiles:

Haz un examen de conciencia

Ante cualquier conversación, reflexiona. A medida que aumenta el mal ambiente solemos tener una fijación con el otro y perdemos de vista nuestro propio comportamiento. No prestamos atención a nuestro estado de ánimo. Por eso, ausculta primero tu voz interior. Sé honrado contigo mismo. ¿Qué te pasa? ¿Qué es lo que te ha enfurecido, molestado o dolido? ¿Qué has hecho hasta ahora para imponerte o salvar la cara? ¿Hay algo que realmente lamentas? ¿Estás dispuesto a decírselo al otro? ¿Qué esperas del contrario? ¿Qué objetivo persigues? ¿Qué pasará en el futuro próximo?

Elige el momento y el lugar apropiados

Mientras la rabia te consuma a ti o al contrario, es imposible que la conversación dé sus frutos. Primero cálmate, después habla. Pero no esperes demasiado. Elige el momento y el lugar apropiados. Este tipo de conversaciones, en el que se tocan temas sensibles, no debería tener lugar en un sitio de paso. Habla sólo con los afectados, sin espectadores alrededor, a no ser que hayáis pactado que una tercera persona actúe de moderador.

Sé lo más concreto posible

Las generalizaciones pueden sonar como un ataque. Evita palabras como «siempre», «constantemente», «jamás», como por ejemplo: «Siempre estás importunándome» o: «No me escuchas jamás». Sé lo más concreto posible. Si algo te ha herido, explica exactamente lo que ha pasado.

No ataques

Mantén la calma y sé objetivo incluso si el contrario se muestra impaciente, bloqueado o negativo. Para tener una conversación esclarecedora, hay que prescindir de armas. No puedes esperar del otro que se repliegue en el acto, sobre todo si la pelea soterrada dura ya algún tiempo. Al fin y al cabo, tu intención de aclarar la situación podría ser simplemente un truco. Cuenta con la desconfianza y la resistencia del otro. Depón las armas y reconoce sin ambigüedades tus propios errores. No adoptes una actitud ofensiva, aunque el otro no acabe de dar su brazo a torcer.

No tiene lugar ninguna ejecución. Nadie será declarado culpable ni se imparte condena alguna

La mayor pérdida de tiempo es pelearse sobre quién tiene la culpa. Esta pelea no lleva a ninguna parte. Cada uno ve el conflicto desde su punto de vista y cada uno prefiere salir de él de la mejor forma posible, intentando echar la culpa al otro. Con esta actitud, mi pronóstico es que jamás se aclarará la situación ni se sabrá quién ha comenzado. Mira hacia el futuro en vez de pelearte por aguas pasadas.

Intenta ser ecuánime

En una conversación esclarecedora, ambas partes tienen miedo de salir perdiendo. Si el interlocutor se da cuenta de que estás intentando dominar la situación, se apeará del curso de la conversación y pasará a la ofensiva. Intenta ser ecuánime. Concede al interlocutor el mismo tiempo de intervención que te has tomado tú. No le interrumpas, porque si no acabaréis lidiando una batalla verbal en la que nadie escucha. Si te interrumpe, insiste en que te deje terminar.

Se trata de calidad, no de cantidad de palabras

No se trata de formular muchas palabras biensonantes. Una avalancha de palabras puede disimular muchas cosas. Se trata de decir lo correcto. Para ello, dos o tres frases pueden ser suficientes. Si estas oraciones se basan en ideas claras tendrán más efecto que una verborrea de horas.

No intentes imponer una solución

En ocasiones es imposible solucionar o arreglar del todo los conflictos o las peleas. Puede que no se llegue a un acuerdo, porque los intereses o las personalidades de los implicados son demasiado divergentes. No intentes juntar a cualquier precio unas piezas que no encajan. Aclarar las cosas también puede servir para identificar los aspectos en los que no hay acuerdo posible. Al final te encontrarás con un interrogante: ¿cómo podemos vivir o trabajar juntos siendo tan distintos?

No más burlas

Toda burla puede ser un mensaje en clave, una indirecta, con la que la otra parte nos quiera transmitir algo. El problema es que no solemos ser muy hábiles en descifrar los mensajes indirectos. Cuando alguien nos suelta un comentario descortés, enseguida lo interpretamos como un ataque. No caemos en la cuenta de que detrás de este comentario puede esconderse una súplica expresada torpemente. A continuación, un ejemplo de nuestro seminario. En una ocasión encendí el proyector para mostrar unas transparencias, cuando uno de los asistentes exclamó en un tono exageradamente irónico: «¡Qué arte! Tengo una visión magnífica de lo que está mostrando». Había colocado la pantalla de tal forma que dicha persona no podía ver nada. El afectado recurrió a la ironía para llamar la atención sobre el problema, en vez de decir directamente: «No veo nada. ¿Podría colocar la pantalla en otro sitio?». En este caso, no resultó ser un problema, porque enseguida entendí lo que quería decir. Sin embargo, en la vida cotidiana, los mensajes codificados pueden llevar a malentendidos. Si los propios deseos son transmitidos con una punzada, causan un dolor innecesario en el que la recibe. El que ha sido blanco de la picadura estará poco dispuesto a averiguar los deseos reales del agresor y ni mucho menos tendrá ganas de cumplir dichos deseos. Las súplicas disfrazadas no motivan a los demás, sino que bloquean el trabajo en común. Atajar las indirectas y sustituirlas por mensajes directos pertenece, por ello, al gran arte de la autodefensa.

Las réplicas propuestas en este libro servirán para contrarrestar los ataques orales. El desarrollo posterior de los acontecimientos dependerá de ti. Si las relaciones con tu compañero te importan, es aconsejable renunciar a las indirectas y hablar claro. Puedes influir en el tono y los modales donde vives y donde trabajas. De poco servirán propósitos como «tratémonos todos con educación». Lo que cuenta es tu comportamiento y tu forma de relacionarte con los demás a diario.

Agilidad en la respuesta

> *Lo que diferencia las artes marciales, como el aikido, de otro tipo de lucha es el factor sorpresa, la irreversibilidad, la rapidez y el dinamismo. Es decir, este tipo de lucha carece de ritmo propio o, mejor dicho, adopta los ritmos de cualquier otro tipo de lucha. Cambia espontáneamente de movimientos y ritmo, obligándonos a improvisar constantemente.*
>
> ANDRÉ PROTIN

Aprovechar las oportunidades

El agresor y su víctima escenifican un baile muy especial, susceptible a cambios en cualquier momento. Podemos adoptar un ritmo más lento, dar volteretas, alejarnos o abandonar la pista de baile. Existen más posibilidades de reaccionar ante un ataque de lo que nos imaginamos. Lo esencial es que no reaccionemos tal como el agresor espera. Sobre todo es importante no adoptar una actitud derrotista, al estilo «Éste la ha tomado conmigo, ¡ya verá lo que le espera!». Hay que esforzarse en afrontar el asunto con cierta distancia y serenidad: «Éste la ha tomado conmigo, ¡qué excelente oportunidad para probar algo nuevo!» La curiosidad es el mejor motor para nuevas experiencias. Descubre nuevas e interesantes posibilidades en el trato con gente algo extraña. Se te abre un mundo de nuevas experiencias. ¿Qué pasaría si te entrara un horrible y ruidoso ataque de tos después de ser objeto de una burla? ¿Qué pasaría si dejaras al otro con la palabra en la boca y le demostraras claramente que su comentario ha herido tus sentimientos? ¿Qué tal si pidieras al agresor una sucesión de burlas porque te dedicas a coleccionarlas? No te fijes en cómo te enjuicia el agresor, sino únicamente en lo que te gustaría probar, en las experiencias de primera mano. No hay nada mejor que acumular experiencia. No saldrás perdiendo mientras tú mismo no te encasilles como perdedor. Ganar y perder no son más que etiquetas con las que clasificamos nuestras experiencias.

No hay derrota, sólo experiencia

Si te quedas mudo después de un ataque, no significa que hayas perdido la batalla, sino que ha hecho lo mejor para ti y para tus nervios. Si contestas con un refrán que no encaja, ha probado algo nuevo. Elige lo que te sea más cómodo y no dependas de luchas egocéntricas, de rituales por el dominio y otras cuestiones absurdas. Únicamente se pretende sacar el máximo partido para tu serenidad y tu autoestima.

El mismo objetivo persiguen las réplicas propuestas en este libro. Pretenden ser estímulos, pequeñas ayudas memorísticas para recordarte que no estás entregado al agresor, sino que eres parte activa en el desarrollo de la situación. Tienes la facultad de cambiar de rumbo si la conversación se desvía por derroteros no deseados. El mismo principio es válido para el entreno de los reflejos, cuyo objetivo es estimularte para que encuentres las réplicas adecuadas.

Doce respuestas a un ataque

El siguiente entrenamiento para agilizar la réplica sirve para practicar las estrategias de autodefensa propuestas en este libro. De entre cada una de las estrategias de autodefensa elige la respuesta que más te convenga. No intentes encontrar la superrespuesta. Haz una provisión de fondos de diversas réplicas posibles para que tengas libertad de elección. No se pretende impresionar al agresor, sino que se trata de que te encuentres cómodo, domines la situación e incluso te diviertas.

Si de cada estrategia de autodefensa propuesta eliges una de las respuestas, tendrás al final hasta once réplicas posibles para defenderte de un solo ataque. Veamos un ejemplo: Pongamos que el ataque se desarrolla de la siguiente manera: «Te seré sincero, me pareces un principiante en esta profesión, un inmaduro». Aquí tienes una selección de réplicas:

- *Gesto mudo:* Coge el bloc de notas y apunta el comentario sin pronunciar palabra.
- *La desviación:* «Relaciono tu comentario espontáneamente con "medidas de previsión para la tercera edad". La cuestión de cómo asegurarse la pensión se debate actualmente en todos los estamentos. Opino que en el futuro...».
- *Comentario monosilábico:* «¡Vaya!».
- *Un refrán inapropiado:* «Más vale que hablen de ti, aunque sea bien».
- *La réplica desintoxicante:* «¿Qué quieres decir con inmaduro?».
- *Ceder y consentir:* «Si después de este comentario te sientes mejor, con mucho gusto te daré la razón».
- *Ceder e insistir:* «Supongo que yo también sería escéptico en tu lugar. En resumen, se trata de... (explicar el asunto que te importa)».
- *El cumplido:* «Me gusta la forma en que enhebras una palabra con otra».
- *La constatación objetiva:* «No te gusta lo que acabo de decir».
- *La confrontación:* «Este comentario me ha herido. No quisiera proseguir por estos derroteros».

- *Hablar claro:* «Este tipo de comentarios no hace más que crear mal ambiente».
- *Definir las reglas de juego:* «Seamos objetivos, por favor».

No todos los ataques se prestan a que podamos elegir entre las doce estrategias de autodefensa. En estos casos puedes probar lo siguiente:

- Escoge la réplica que aparentemente no encaja y despréndela de mis palabras para expresarla a tu manera. Por ejemplo, puedes encontrar entre los cumplidos la siguiente propuesta: «Me gusta tu manera de enhebrar las palabras». Posiblemente no se te ocurriría jamás expresarte de esta forma. ¿Cómo lo dirías? Quizás: «¡Es genial tu forma de hablar tan fluida!» o: «Mis cumplidos por tu excelente dominio del idioma». Modifica las réplicas propuestas según tu propia forma de hablar.
- Combina dos o tres tipos de réplica. ¿Qué tal si combinas el comentario monosilábico con un refrán inadecuado? Volvamos al ataque: «Te seré sincero, me pareces un principiante en esta profesión, un inmaduro». Y aquí la respuesta combinada: «¡No me digas! Estaba convencida de que era mejor pájaro en mano que ciento volando».
- Invéntate nuevas estrategias. Puede que los ataques con los que debas enfrentarte no tengan nada que ver con lo descrito en el libro o que el agresor sea peligroso. Desarrolla tus propias estrategias de defensa personales. Las estrategias propuestas en este manual te pueden servir como un punto de partida, adaptables a tus propias necesidades.

Durante los seminarios, este entrenamiento para adquirir agilidad en la respuesta tuvo para mí un factor sorpresa. Los asistentes que entrenaban mucho llegaron a desarrollar sus propias réplicas creativas. Se inventaron reacciones novedosas y graciosas ante los ataques a los que habitualmente se veían expuestos. Transformaron las réplicas propuestas por mí de tal manera que apenas eran reconocibles, lo que me gustó mucho. El entrenamiento de la agilidad les abrió la puerta a la creatividad.

Un programa de entrenamiento

Con los ejercicios propuestos en las páginas siguientes podrás entrenar la agilidad de respuesta. En cada página encontrarás una estrategia de autodefensa distinta. Escoge uno de los ataques posibles y escríbelo en la parte superior de cada página. Abajo anota la respuesta que hayas elegido o desarrollado a partir de la respectiva estrategia de autodefensa. De esta forma obtendrás doce réplicas distintas para un mismo ataque. Un consejo: si escoges un ataque real, olvídate de las circunstancias que lo rodearon, porque solemos bloquearnos al recordar la situación y ello, por su parte, puede inhibir nuestra creatividad. Por consiguiente, es mejor que empieces a entrenar con un ataque ajeno a una experiencia personal. Elige uno de los comentarios insolentes de la lista de abajo. Cuando ya estés familiarizado con las estrategias diversas puedes ensayar con un ataque escogido de la realidad.

Ataques para ensayar

- «Estás soñando mientras te estoy hablando.»
- «Es feísimo. Tienes un gusto deleznable.»

- «Eres un experto en el arte de la presunción.»
- «Sería mejor que callaras para ocultar tu ignorancia.»
- «Tu incompetencia es de dominio público.»
- «¡Mujeres!» «Muy típico de los hombres.»
- «Cierra la boca mientras hablo contigo.»

EL ATAQUE:

___

___

Esquivar al agresor: gestos mudos

- *El objetivo:* Permanecer mudo y responder al ataque con el lenguaje corporal.
  - Mira al agresor con los ojos exageradamente abiertos como si tuvieras delante de ti a un extraterrestre. No pronuncies ni una sola palabra.
  - Saluda amablemente con la cabeza como si te cruzaras con un viejo conocido.
  - Tómate un respiro y observa al contrario con curiosidad, como si se tratara de un ser raro y exótico.
  - Sonríe sabiamente como si hubieses tenido una iluminación.
  - Coge papel y lápiz y anota el comentario insolente.
  - Haz tus ejercicios de respiración. Inspira profundamente y expira muy lenta y notoriamente.
- *Aplicación:* No justifiques tu comportamiento, ni siquiera si el contrario muestra signos de extrañeza. Vuelve a tus asuntos. No te dejes distraer ni gastes más energías.

TU ESTRATEGIA PERSONAL:

___

___

___

___

___

___

___

___

___

EL ATAQUE:

____

____

La desviación

- *El objetivo:* No responder al ataque, mejor hablar de un tema completamente distinto.
- *El ataque:* «¿Qué pasa que últimamente tienes la cabeza llena de pájaros, cuando normalmente sueles ser razonablemente inteligente?».
- *La desviación:* «Ahora que hablamos de ello, ¿te gusta el queso fresco bajo en grasas? A mí no me dice nada, yo prefiero el queso sabroso y curado...».
- *Otras desviaciones posibles:*
  «Encuentro que en televisión repiten demasiado los programas».
  «Un verano caluroso y soleado se agradece, pero tampoco me gusta que sea demasiado caluroso».
  «Yo creo que, en los tiempos que corren, la mejor inversión es la inversión inmobiliaria».
  «A mí los espárragos no me parecen tan exquisitos».
  «El peor tiempo es cuando hace un frío húmedo que te cala hasta los huesos».
- *Aplicación:* Cambia de tema sin vacilaciones. Resiste la tentación de devolverle la jugada al agresor con un nuevo tema de conversación. (Por ejemplo: «¿Has hecho alguna vez un test de inteligencia?».) Cuanto más banal y trivial sea el tema elegido, más efecto tendrá.

TU RESPUESTA:

____

____

____

EL ATAQUE:

____

____

El comentario monosilábico

- *El objetivo:* Replicar el ataque con pocas sílabas.
- *El ataque:* «Por lo visto, algunas cobran aquí por sus piernas bonitas».
- *El comentario monosilábico:* «¡Qué cosas!».
- *Otros comentarios monosilábicos:*

  «¡Vaya!».

  «Ya veo».

  «Ostras».

  «Qué pena».

  «¡No me digas!».

  «Aah».

  «¿Quieres decir?».
- *Aplicación:* El comentario monosilábico es una respuesta para ahorrar energía. Es especialmente adecuado para personas que se quedan mudas y sin recursos ante una burla. Haz un punto y aparte detrás de tu réplica monosilábica aunque estés tentado a añadir algo más.

TU RESPUESTA:

____

____

____

____

____

____

____

____

____

EL ATAQUE:

____

____

El refrán inadecuado

- *El objetivo:* Contestar con un refrán que esté totalmente fuera de contexto.
- *El ataque:* «Parece que tengas un agujero en el cerebro».
- *El refrán inadecuado:* «Una golondrina no hace verano».
- *Más refranes:*
  - A Dios rogando y con el mazo dando.
  - A buen hambre no hay pan duro.
  - Juntarse el hambre con las ganas de comer.
  - Agua que no has de beber déjala correr.
  - Vísteme despacio que tengo prisa.
  - La suerte de la fea, la bonita la desea.
  - Más vale pájaro en mano que ciento volando.
  - Zapatero, a tus zapatos.
  - Vale más malo conocido que bueno por conocer.
  - Uno por otro, la casa sin barrer.
  - Todo es del color del cristal con que se mira.
- *Aplicación:* Utiliza el refrán inadecuado siempre y cuando no tengas ganas de darle más vueltas al comentario insolente. Deja que el agresor se abrase en su confusión.

TU RESPUESTA:

____

____

____

____

____

____

____

EL ATAQUE:

____

____

La réplica desintoxicante

- *El objetivo:* Rescatar la palabra que hiere u ofende. Interpelar al agresor sobre el significado de esta palabra.
- *El ataque:* «Vaya tontería más gorda que has hecho».
- *La réplica desintoxicante:* «¿Qué quieres decir con "tontería gorda"?».
  «¿A qué te refieres con...?» (añadir palabra envenenada).
  «¿Qué significa...?» (añadir palabra envenenada).
  «¿Cómo definirías...?» (añadir palabra envenenada).
  «Interesante. ¿Qué supone exactamente...?» (añadir palabra envenenada).
- *Aplicación:* Utiliza la réplica desintoxicante cuando te critiquen de forma poco objetiva. De esta manera mantienes las palabras ofensivas a distancia y le das al contrario la oportunidad de una argumentación objetiva.

TU RESPUESTA:

____

____

____

____

____

____

____

____

____

____

____

____

EL ATAQUE:

____

____

Ceder y consentir

- *El objetivo:* El agresor lucha por tener razón. Transigir, darle la razón. Informarle de que se está dispuesto a ceder si con ello se le ayuda.
- *El ataque:* «Tienes un aspecto espantoso, ¿no será que habrás dormido en el pajar?».
- *El consentimiento:* «Si con ello te sientes mejor, te doy toda la razón».
  «Ciertamente, tienes razón».
  «¿Te sirve de algo si te doy la razón?».
  «Con mucho gusto estoy de acuerdo contigo si ello te hace sentir mejor».
  «Sí, tienes toda la razón. ¿Te sientes mejor?».
  «Si te hace falta, estoy de acuerdo contigo».
- *Aplicación:* Puedes poner en práctica esta estrategia cuando estés harto de los ataques y de la prepotencia de los demás. Pero, cuidado, solamente dale la razón al contrario en los casos en los que no te perjudique.

TU RESPUESTA:

____

____

____

____

____

____

____

____

____

EL ATAQUE:

____

____

La aprobación con perseverancia

- *El objetivo:* Demostrar al agresor que se entiende su postura y mantenerse firme en los propósitos.
- *El ataque:* «No se lo piense tanto, tampoco debe de ser tan difícil decir simplemente sí».
- *Aprobación con perseverancia:* «Entiendo perfectamente que quiera una respuesta rápida. Y yo necesito otro día de reflexión».
  «Me hago cargo de tu postura, y yo ahora quiero...» (expones tu propósito).
  «Supongo que en su lugar reaccionaría igual. Y se trata de...» (vuelve a insistir en el asunto que te interesa).
  «En tu lugar diría lo mismo. Y seguimos teniendo el problema de...» (vuelves al grano).
- *Aplicación:* Recurre a esta técnica de consentimiento y perseverancia siempre y cuando tengas una conversación o negociación importante. Neutraliza el ataque con una actitud comprensiva y después insiste en tu propósito.

TU RESPUESTA:

____

____

____

____

____

____

____

____

____

____

EL ATAQUE:

____

____

El cumplido

- *El objetivo:* Declarar a adversario el jaque mate, simplemente admirándolo y elogiándolo.
- *El ataque:* «Si eres tan hipersensible, jamás llegarás a tener éxito».
- *El cumplido:* «Admiro tus conocimientos y tu sabiduría».
  «Me gusta la forma con que enlazas una palabra con otra.»
  «Me has impresionado profundamente.»
  «Gracias por esta ayuda existencial.»
  «Eres inconmensurablemente superior a mí.»
  «Gracias por tus consejos maravillosos.»
- *Aplicación*: Cuanto más exageres con tus elogios, más eficiente será la estrategia. También puedes ser más comedido y decir: «Es que sabes más que yo» o reaccionar de forma irónica y colocar al adversario en un pedestal: «Eres inconmensurablemente superior a mí».

TU RESPUESTA:

____

____

____

____

____

____

____

____

____

____

____

____

EL ATAQUE:

____

____

La constatación objetiva

- *El objetivo:* Mantener la calma y no tomarse el ataque de forma personal. Concentrarse en el estado de ánimo del contrario y corroborarlo de forma breve y neutral.
- *El ataque:* «Acaba de cometer la mayor tontería que jamás se ha visto».
- *La constatación objetiva:* «Mi trabajo no le gusta» o: «Esperaba algo distinto».

- *El ataque:* «No esperaba de ti una propuesta tan estúpida».
- *La constatación objetiva:* «Te muestras todavía escéptico» o: «No te acaba de gustar mi propuesta».

- *El ataque:* «¡Eres un imbécil integral!».
- *La constatación objetiva:* «¡Ahora sí que estás enfadado!».

- *Aplicaciones en la vida diaria:* Resulta muy útil emplear la constatación objetiva si se quiere mantener a distancia la acusación o condena del agresor. Es especialmente efectiva para rebatir críticas poco objetivas, reproches y reparos.

TU RESPUESTA:

____

____

____

____

____

____

____

EL ATAQUE:

____

____

La confrontación

- *El objetivo:* Llamar la ofensa por su nombre, confrontar al agresor con ella y exigir una disculpa.
- *El ataque:* «Conecta tu cerebro antes de abrir la boca».
- *La confrontación:* «Este comentario me ha ofendido y, por lo tanto, espero una disculpa».
  «Estas palabras (repite lo que ha dicho tu interlocutor) me han ofendido. Espero una disculpa.»
  «¡Esto es un insulto! Deje de hacer este tipo de comentarios.»
  «Me has ofendido, espero que te disculpes.»
  «No quisiera proseguir por este camino. Deje de ofenderme.»
- *Aplicación:* Modifica tu comportamiento. Haz gala de tu autoridad y muéstrate severo. No importa tanto la respuesta del agresor como el hecho de dejar muy claro que el trato recibido es inadmisible.

TU RESPUESTA:

____

____

____

____

____

____

____

____

____

____

____

____

EL ATAQUE:

___

___

Hablar claro

- *El objetivo:* Indicar brevemente lo que ha ofendido o ha molestado.
- *El ataque:* «Supongo que eso excede su capacidad de comprensión».
- *Hablar claro:* «Lo que acaba de decir parece un ataque personal».
  «Acaba de decir... (repite el comentario humillante), lo cual me ofende.»
  «Lo que acabas de decir me ofende.»
  «Tu comentario... (repite el comentario) es una provocación.»
  «Este tipo de comentarios únicamente contribuye a crear un clima de violencia.»
- *Aplicación:* No cites frases hechas ni hagas provocaciones cuando se trata de un asunto importante. Si las cosas se tuercen, abandona el curso de la conversación y pon en evidencia el comportamiento del interlocutor.

TU RESPUESTA:

___

___

___

___

___

___

___

___

___

EL ATAQUE:

____

____

Definir las reglas de juego

- *El objetivo:* Proponer al interlocutor un trato más cordial.
- *El ataque:* «Es realmente penosa tu forma de pensar».
- *Definir las reglas de juego:* «Quisiera discutir este punto con toda tranquilidad. Por favor, no sigas provocando».
  «Por favor, seamos objetivos.»
  «No nos desviemos del tema de la conversación. Propongo...»
  «Me gustaría discutir este tema de forma breve y precisa, sin ataques personales. ¿Podemos llegar a este acuerdo?»
  «Es la segunda vez que me interrumpe, déjeme acabar, por favor.»
- *Aplicación:* Si los ataques personales llegan a sabotear la conversación, es conveniente encauzarla hacia temas más constructivos, sobre todo si se pretende mantener una buena relación a posteriori.

TU RESPUESTA:

____

____

____

____

____

____

____

____

____

____

____

____

Elegir las réplicas

Puedes utilizar las réplicas propuestas en este manual a tu libre albedrío. Dado que ninguna de ellas es realmente humillante, recurre a cualquiera de las estrategias de autodefensa para parar el golpe y, después, intentar reanudar un diálogo. Sin embargo, también puedes escoger una estrategia concreta para defenderte de un ataque puntual.

Las siguientes estrategias son especialmente idóneas para *atajar las provocaciones* y esquivar al agresor:

- ignorar al agresor
- gestos mudos
- comentario monosilábico

Si quieres impactar pero tienes *poco interés en suscitar una discusión*, te recomiendo las siguientes estrategias:

- refrán inadecuado
- ceder y consentir
- el cumplido

Si se produce un ataque en medio de una conversación importante, una discusión o una negociación, te servirá la siguiente estrategia para *retomar el asunto en cuestión*:

- réplica desintoxicante
- aprobación con perseverancia
- constatación objetiva
- hablar claro
- definir las reglas de juego

Para *pararle los pies a un agresor arrogante*, recurre a:

- la confrontación

Confiar en el propio instinto

A la hora de la verdad, la elección de una réplica depende mucho de la situación en que te encuentres. Para ello influyen diversos factores:

¿En qué estabas ocupado antes de que te atacaran?

Aténte a una regla básica: cuanto más importante sea el asunto que te ocupa, menos energías debes invertir en contestar al comentario insolente.

¿Qué relación tienes con el adversario?

Cuanto más estrecha y significativa sea la relación con el agresor, más importante es abandonar el tono hostil en que ha derivado la conversación, aclarar las reglas de juego y hablar claro.

¿Qué réplicas se ajustan a tu personalidad? ¿Cuáles son las que prefieres?

Entre las diferentes réplicas habrá algunas que te gusten a primera vista, otras requerirán más coraje por tu parte y seguramente también habrá unas que te disgusten. No te compliques la vida. Comienza con las que más se adapten a tu forma de ser.

¿Qué es lo primero que se te ocurre?
Puede que entre las doce estrategias se encuentre una a la que recurres automáticamente después de un ataque. Agárrala al vuelo.

¿Te gustaría probar algo nuevo?
Verse atacado resulta muy desagradable. Ya puestos, saca el máximo provecho. Experimenta con las réplicas que te gustaría poner a prueba. Aprovecha la situación para acumular nuevas experiencias.

En ocasiones resulta difícil tener en cuenta todas las facetas durante un ataque. Por ello puede ser más fácil intentar, en primer lugar, asimilar el principio y la idea de las estrategias de autodefensa. En caso necesario, confía en tu intuición. Si tienes la sensación de que lo mejor es ignorar al agresor, utiliza una de las estrategias para torearlo. Quizá haya una que ya tenías ganas de probar. Si tienes la sensación de que la conversación se aleja del asunto en discusión, no reacciones con citas, retoma directamente el hilo y vuelve al grano del asunto. Solemos actuar instintivamente según el momento y la circunstancia. Es importante que tomemos en serio nuestros sentimientos y nuestras intuiciones, sobre todo si nos sentimos inseguros. Comienza con las réplicas con las que más te atrevas. Avanza a tientas. No tienes que demostrar nada. Si has sido especialmente valiente, nadie te concederá una medalla por tus méritos. No te alejes del ámbito donde te encuentres seguro y cómodo.

Si te diviertes es la mejor señal de que vas por buen camino. Si te recreas, tienes curiosidad y te importa poco lo que el agresor piensa de ti, comienzas a dominar el arte de la autodefensa.

Y para terminar, una historia de consolación

Imagina que la tierra está exclusivamente poblada de budas, que todos los seres con los que te cruzas se encuentran en un estado de iluminación, con una excepción: ¡tú mismo! Imagina que dichos budas existen para impartirte enseñanzas, que la actuación de todos y cada uno gira entorno a tu bienestar, que los comportamientos de cada cual únicamente están orientados a ofrecerte las enseñanzas y los obstáculos que necesitas para despertar.

JACK KORNFIELD

Aquel día había trabajado mucho en el libro. Me fui a unos grandes almacenes para comprarme un buen candado para bicicletas. Tuve suerte. Una de las dependientas acababa de sacar de una enorme caja varios modelos y los tiró encima del mostrador. Parecían resistentes. Cogí el que más me gustaba y vi que no tenía marcado el precio. «Por favor, ¿me puede decir cuánto vale este candado para bicicletas?», pregunté a la dependienta que había vuelto a descargar un montón sobre el mostrador. «¿Está usted ciega o no sabe leer?», espetó sin mirarme. «Aquí, en el letrero, lo pone bien claro.» Efectivamente, encima del mostrador colgaba un letrero con el precio. No lo había visto. Murmuré algo irritada: «Perdone», dejé el candado en el mostrador y seguí mi camino. Al cabo de un minuto empecé a sentir rabia. Había hecho una pregunta educadamente y recibí una respuesta grosera. ¡Y precisamente me ocurrió a mí! En aquellos momentos estaba escribiendo un libro sobre autodefensa oral, desde hacía años impartía seminarios, hacía entrenamientos, explicaba a los demás cómo contestar a insolencias y

¡resulta que no se me ocurre nada más que disculparme! (Suerte que no me pilló ninguno de mis alumnos.) Mientras vagaba sin rumbo por los grandes almacenes, rebobinaba una y otra vez el incidente. ¿Qué podría haber contestado cuando la dependienta me preguntó si no podía leer? Plantear una réplica desintoxicante, del estilo «¿Qué entiende por no saber leer?» o un pequeño cumplido: «Me gusta la forma en que trata a la clientela». O hubiese tenido que responder de forma profesional: «Soy experta en técnicas de comunicación. Si le interesa mejorar la comunicación con los clientes no dude en ponerse en contacto conmigo. Le doy mi tarjeta». Pero, a la hora de la verdad, me quedé con la palabra en la boca. ¿Seré incapaz de poner en práctica aquello que enseño a mis alumnos? ¿Estaré escribiendo libros que necesitaría leer yo antes que nadie?

Luego me di cuenta de que estaba dando demasiadas vueltas a un asunto que había durado como mucho noventa segundos. ¿Por qué me había quedado tan estupefacta? Todavía deambulaba por los grandes almacenes, sin comprarme un candado para la bicicleta y, por lo tanto, estaba lejos de haber cumplido con mi cometido. Llegué incluso a considerar escribir un libro sobre la falta de cordialidad en los grandes almacenes. En la cafetería, finalmente, empecé a recuperar el raciocinio y comprendí lo que había pasado.

En la meditación budista zen se pone especial atención en que la persona que medita no se duerma o se quede traspuesto. Para evitarlo, el maestro zen da suaves golpes de bastón en los hombros de los que meditan, no como un castigo, sino para hacer circular la energía. Los suaves golpes de bastón forman parte de un ritual muy estudiado. Las múltiples inclinaciones son una expresión de respeto hacia los demás. Esto es justamente lo que me había pasado a mí. La vida es una bondadosa maestra zen que me ha despertado. Estaba a punto de dormirme sobre mis consabidas opiniones y convicciones. Si alguna vez imaginaba que seríamos capaces de defendernos siempre y en cada circunstancia, esta ilusión se había desvanecido. Hay situaciones que nos cogen totalmente desprevenidos, en las que no se nos ocurre absolutamente nada, a pesar de haber entrenado una y otra vez la agilidad en la respuesta, a pesar de habernos jurado imponernos y mostrarnos siempre con autoridad, de levantar nuestro escudo protector y no dejarnos herir. No se trata de reaccionar siempre de forma correcta. Es mucho más importante que no nos ataquemos a nosotros mismos, que convivamos en armonía con nuestras imperfecciones. Quizá entonces logremos aceptar que los demás tampoco son perfectos.

Bibliografía

Alcántara, José Antonio, *Autoestima*, Barcelona, CEAC, 1996.

Berckhan, Barbara, *Quiérete a ti misma*, Barcelona, RBA-Integral, 2001.

Bonet, Josep Vicent, *Sé amigo de ti mismo*, Santander, Sal Terrae, 1997.

Branden, Nathaniel, *Cómo mejorar su autoestima*, Barcelona, Paidós, 1998.

Cornelius, H. y Faire, S., *Tú ganas yo gano. Cómo resolver conflictos creativamente... y disfrutar con las soluciones*, Madrid, Gaia, 1995.

Fensterheim, H. y Baer, J., *Nunca es tarde para cambiar. Cómo dejar de ser víctima de su pareja, su jefe, sus amigos y su familia*, Barcelona, Grijalbo, 1989.

Freeman, Lucy, *La ira, la furia, la rabia*, Barcelona, Gedisa, 1992.

Goleman, Daniel, *Inteligencia emocional*, Barcelona, Kairós, 1996.

Gonsar, Rinpoché, *La sabiduría budista*, Menorca, Amara, 1999.

González de Rivera, José Luis, *El maltrato psicológico. Cómo defenderse del mobbing y otras formas de acoso*, Madrid, Espasa-Calpe, 2002.

Hyrigoyen, Marie-France, *El acoso moral. El maltrato psicológico en la vida cotidiana*, Barcelona, Paidós, 1999.

Miller, Alice, *Por tu propio bien*, Barcelona, Tusquets, 1992.

Moreno, Montserrat y otros, *Resolución de conflictos e inteligencia emocional*, Barcelona, Gedisa, colección Prevención, Administración y Resolución de Conflictos (PARC), Barcelona 2002.

Richmond, Lewis, *El trabajo como práctica espiritual: un camino budista para el crecimiento personal y profesional*, Barcelona, Paidós, 2001.

Rodríguez, Nora, *Mobbing.Vencer el acoso moral*, Barcelona, Planeta, 2002.

Sanmartín, J., *La mente de los violentos*, Barcelona, Ariel, 2002.

Saotome, Mitsugi, *Aikido o la armonía de la naturaleza*, Barcelona, Kairós, 2000.

Suenaka, Roy y Watson, Christopher, *Aikido completo: la guía completa al camino de la armonía*, Barcelona, Obelisco, 2001.